Jos

LOS NOMBRES
DE MODA

De Vecchi

© *Josep Maria Albaigès i Olivart 2010.*

Diseño gráfico de la cubierta: © *YES.*

Fotografías de la cubierta: © *Getty Images.*

© Editorial De Vecchi, S. A. U. 2010
Balmes, 114 - 08008 Barcelona
Depósito Legal: B. 10.958-2010
ISBN: 978-84-315-4197-2

Editorial De Vecchi, S. A. de C. V.
Nogal, 16 Col. Sta. María Ribera
06400 Delegación Cuauhtémoc
México

A mi mujer, Gloria, que antes se llamaba Dolors

ÍNDICE

INTRODUCCIÓN

«Nuestros nombres son como la luz que fosforece de noche sobre el mar y muere luego sin dejar huella».

RABINDRANATH TAGORE, *Pájaros perdidos*

Una sociedad en evolución

Estos fueron los nombres que más se pusieron a los recién nacidos españoles en los años 2002 y 2008:

Año 2002

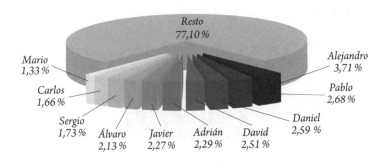

(Continúa)

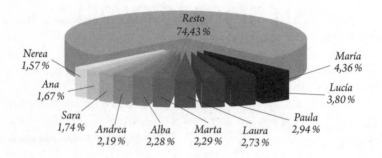

Resto
74,43 %

Nerea
1,57 %

Ana
1,67 %

Sara
1,74 %

Andrea
2,19 %

Alba
2,28 %

Marta
2,29 %

Laura
2,73 %

Paula
2,94 %

Lucía
3,80 %

María
4,36 %

Año 2008

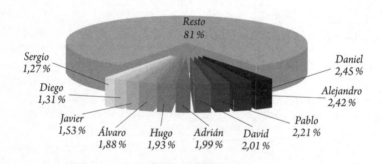

Resto
81 %

Sergio
1,27 %

Diego
1,31 %

Javier
1,53 %

Álvaro
1,88 %

Hugo
1,93 %

Adrián
1,99 %

David
2,01 %

Pablo
2,21 %

Alejandro
2,42 %

Daniel
2,45 %

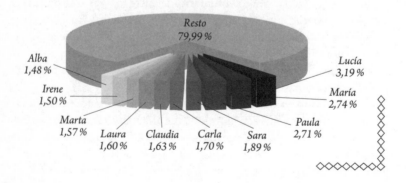

Resto
79,99 %

Alba
1,48 %

Irene
1,50 %

Marta
1,57 %

Laura
1,60 %

Claudia
1,63 %

Carla
1,70 %

Sara
1,89 %

Paula
2,71 %

María
2,74 %

Lucía
3,19 %

El examen de estos gráficos nos proporciona interesantes conclusiones sociológicas. En primer lugar, vemos una variabilidad en las modas: en ese intervalo de tiempo han ascendido en el *ranking* algunos nombres como Daniel y Sara, han aparecido en los primeros puestos otros nuevos, como Hugo y Carla, y han desaparecido otros.

Pero quizás el cambio más significativo se da en las sumas de los porcentajes de los primeros diez clasificados, que ha disminuido. Esto indica que los nombres elegidos cada vez son más variados. Han pasado ya los tiempos en que casi uno de cada cuatro españoles se llamaba José, y actualmente se busca una mayor variedad, con lo que no se hace más que restituir al nombre su verdadera función de rótulo de identificación. En una sociedad en que la mitad de las mujeres se llamaban María, llamarse así poco aportaba a la identificación; por ello no es extraño que en español una *maría* (en minúscula) haya acabado significando simplemente «persona del sexo femenino».

Cada año medio millón de felices parejas buscan con ilusión qué nombre impondrán a su vástago. La búsqueda empieza casi siempre mucho antes del nacimiento. Se tantea, se ensaya, se recurre a la tradición, la literatura, los santorales. Ningún nombre parece sonar bastante bien: se le exigen cualidades eufónicas, en primer lugar, pero también estéticas, ambientales... y hasta es frecuente que deba expresar las tendencias sociales o políticas de los progenitores.

Algunas de estas prácticas son muy lógicas y encomiables; otras pueden dar lugar a abusos y han de ser manejadas con precaución. El nombre es el único atributo voluntario de entre los que transmitimos a nuestro hijo que, probablemente, conservará toda su vida, y no hay que olvidar que, aunque lo impongamos nosotros, le pertenecerá a él. Y con el nombre deberá sentirse a gusto: flaco favor le haríamos al niño utilizándolo como mera cobaya de nuestra fértil imaginación para imponerle un onomástico estrafalario o inoportuno.

Nuestro gusto ha de ser sometido a una rigurosa autocrítica. Posiblemente Judas o Caín son nombres tan dignos y respetables como cualesquiera otros, pero la cuestión es considerar si una persona con uno de estos nombres no se verá sometida, a lo largo de su vida, a enojosos problemas que le hubieran sido ahorrados con otros nombres no menos eufónicos. ¡Y qué decir de un Armando Bronca Segura o una Dolores Fuertes de Barriga! Los derechos de los padres son limitados. Por este motivo, la ley debe intervenir para defender a los hijos frente al capricho de sus progenitores. En realidad, ha defendido demasiado hasta hace bien poco, con el famoso artículo 54 de la Ley del Registro Civil, que establecía la obligatoria castellanidad y ortodoxia de los nombres impuestos. Este artículo, interpretado restrictivamente durante muchos años, vedó toda la riqueza de los nombres en lenguas vernáculas y limitó en la práctica el repertorio de posibles nombres al santoral cristiano, pues todo descarriamiento fuera de este era rechazado acogiéndose a la letra legal. Todavía son recientes las desilusiones de muchos padres que encontraban a su Ferran transformado en un Fernando o se veían obligados a inventar una exótica Virgen de Haidée para que este nombre fuera admitido para sus hijas.

Poco a poco fueron cambiando esos corsés legales. Se suprimió la castellanidad de los nombres, la prohibición de que fueran «ridículos, irreverentes o subversivos» (¡eso sí que era ridículo!) y, finalmente, la prohibición de los hipocorísticos (formas familiares del nombre). Nada se opone hoy a que un hijo sea llamado Paco o Reme, si los padres lo juzgan oportuno.

Y esto, paradójicamente, hace más difícil que nunca la elección. La libertad, en cualquier ámbito, tiene como contrapartida la carga de la responsabilidad de saber usarla adecuadamente. Ahora, cuando cualquier nombre es viable, ¿serán prudentes onomásticos como Alá, Kenia, Leidilaura o Jotaerre? ¿No seremos reprochados por nuestros hijos cuando estén en condiciones de defenderse, cuando, olvidada la moda pasajera, subsista en el registro civil y el entorno social una irritante inscripción casi imposible de eliminar?

No queremos emitir ningún juicio de valor sobre los nombres, y por eso hemos incluido en nuestro diccionario una amplia muestra de los más usados, haciendo caso omiso de sus connotaciones. Pensamos que la adopción del nombre es privilegio y responsabilidad de los padres, y la libertad debe ser coartada lo menos posible. Pero también es cierto que difícilmente se ejercerá esta de forma adecuada sin una información honesta y veraz. Y a ello quiere contribuir esta obra.

La importancia del nombre en la vida de una persona

El primer factor a tener en cuenta al imponer un nombre es su origen y significado, que expresará todo un sentido, una filosofía de la vida, un deseo. Incluso los antiguos no vacilaban a la hora de afirmar que el nombre marca una dirección, un destino, en su célebre aforismo *Nomen, omen* («Un nombre, un presagio»).

No podemos aceptar hoy este punto de vista, como no sea al considerar las consecuencias que pueden pronosticarse para el portador de un nombre mal elegido, pero sí es importante tener en cuenta el significado del nombre como expresión de una virtud deseada. Uno de los objetivos principales de este libro es suministrar material para conocerlo. Veremos cómo los nombres hebreos suelen ser teóforos (alusivos a Dios); cómo los griegos suelen evocar cualidades de tipo social o moral; cómo los germánicos sugieren la fiereza y valor propios del espíritu primitivo bárbaro, y cómo los nombres latinos son a menudo motes estrafalarios e incluso denigrantes.

Además del significado, existe otro aspecto tanto o más importante: un nombre tiene que encajar. Su fonética y su aspecto deben hacerlo grato, solo y en combinación con los apellidos. La búsqueda y ensayo de cómo «suena» el nombre es uno de los ejercicios más gratos para los padres. Pero ¡cuidado!, no hay que confundir esta tarea con el empeño a ultranza en hallar un nombre «superoriginal», en el que «nadie» haya pensado antes. Pruébense nombres, tantos como haga falta, pero no pretendamos hacer de la elección una prueba de nuestra gran originalidad o cultura.

Señalaremos especialmente algunos escollos que amenazan la elección de un nombre apropiado; si los tenemos presentes, evitaremos decisiones que posteriormente nosotros (¡o nuestro hijo!) podríamos lamentar.

Ante todo, debemos tener mucho cuidado con los nombres que no son de persona. Meditemos mucho antes de bautizar a nadie Durandarte, Altair o Bucéfalo. Hemos de mantener la fantasía en sus justos límites, pues sus excesos, fruto del ardor de un momento, se purgarían toda la vida. Cuidado con los nombres que se prestan a deformaciones o asociaciones de ideas desagradables, que podrían ser descubiertas y utilizadas sin piedad por los compañeros escolares del niño.

Cuidaremos la armonía del nombre en combinación con los apellidos. Generalmente, si estos son cortos, encajarán mejor con un nombre largo, y viceversa. Atención también con los enlaces: una Carmen Mendoza es cacofónico, así como Marcos Cossío. Y, desde luego, de ningún modo hay que hacer combinaciones estrafalarias: nada de Angustias Profundas o Martín Martín Martín.

¡Atención a las modas! Los nombres que popularizan los medios de comunicación sonarán raros o pasados de moda a los cinco años, y ridículos a los veinte. ¿Qué sucede con las numerosas Heidi, Davinia o Suelen en 2010? Posiblemente se verán obligadas a explicar que hacia el año 1970 hubo un programa muy popular en la tele, y...

Cuidemos también la grafía del nombre. De nada sirve escribir Esther por Ester, Lydia por Lidia, salvo para producir complicaciones futuras cada vez que un extraño tenga que escribirlos. Y, menos aún, inventar grafías exóticas: Lucya por Lucía, Hantoni por Antonio, etc.

Hay que evitar los nombres que generen dudas sobre el sexo del niño. De hecho, esta es una de las pocas limitaciones todavía vigentes en la Ley de Registro Civil sobre el nombre.

Finalmente, conviene pensar en los comentarios más o menos jocosos a que pueda dar lugar un nombre. Los blancos favoritos de dichos comentarios son los nombres más cargados de una significación concreta inmediata: Modesto, Amado, Bella, Felicísimo, Prudencia...

Tampoco hay que olvidar el entorno sociocultural en que se inserta el nombre: quizá no acabe de ser oportuno un Gonzalo Fernández en la ciudad de Córdoba o un mero Pelayo en Covadonga, pero sí los numerosos Teresa en Ávila y Hernán en Medellín.

Este libro contiene abundante material, no sólo para realizar una elección acertada, sino también para valorar los nombres ya en uso. Seguro que muchos Robertos, Carlos o Eugenios sentirán un nuevo aprecio por su patronímico cuando descubran qué significan. Conocer las cosas es el primer paso para amarlas, y nuestro nombre, lo más unido a nosotros, no constituye ninguna excepción.

BREVE HISTORIA DE LOS NOMBRES

Orígenes de nuestros nombres

El nombre, según el humanista colombiano López de Mesa, «emana de común, haciéndose de alguna manera adjetivo abstracto».

Y en esta emanación influyen directamente los gustos, las costumbres y los sistemas de valores presentes en un pueblo: puede decirse que la vida y la historia de una cultura están presentes y resumidas en su onomástica.

Nosotros, como herederos directos del mundo grecolatino, impregnados por la religión cristiana e injertados con las invasiones germánicas y árabes medievales, reflejamos en nuestro sistema de nombres (antroponimia) todas estas culturas que, combinándose y sobreponiéndose, nos han producido.

Fortaleza de fuego-montaña de paciencia

En la visita efectuada a España en 1996 por el jefe del ente palestino, Yasser Arafat, este comentó que su nombre significaba «montaña de paciencia», mientras que el apellido del jefe del ejecutivo español, Aznar, era, para los árabes, «fortaleza de fuego».

Con buen humor, el presidente español comentó si no sería mejor intercambiar los significados ante los diferentes tipos de problemas con que los dos estadistas tenían que enfrentarse.

13

Nombres latinos

El sistema patronímico romano constituye, todavía hoy, la base de nuestro repertorio onomástico. En contraste con las culturas primitivas, en que era usual la identificación mediante una sola palabra, los romanos utilizaban un sistema onomástico ciertamente complicado, donde podían juntarse hasta cuatro palabras definidoras del sujeto, cada una con su propio origen y situación dentro del conjunto nominativo:

- El *praenomen* equivalía aproximadamente a nuestro nombre de pila, aunque era bastante más restrictivo, pues sólo se utilizaba en la intimidad familiar.

Pocos saben que el nombre completo de Julio César era, en realidad, Cayo Julio César: el *praenomen* Cayo nos resulta desconocido tanto a nosotros como a la mayoría de los que trataban al poco escrupuloso político.

Quizá por esta causa, en contraste con los nombres de familia, los prenombres, que hoy llamamos *nombres de pila*, eran poco numerosos, y no parecen haber sobrepasado el número de 16 o 18, de los cuales sólo diez fueron utilizados durante el periodo histórico: Caius o Gaius, Cneus o Gneus, Lucius, Marcus, Manius, Paulus, Publius, Servius, Tiberius y Titus.

- El segundo nombre era el *cognomen* o *nomen gentilicium*, indicativo de la *gens* a la que pertenecía la persona. La *gens* era la familia en sentido amplio, más bien diríamos la tribu. Algunas *gens* conocidas en Roma fueron la Cornelia, la Julia y la Annea.

- Un tercer apelativo, o *agnomen*, reflejaba la verdadera individualidad de la persona dentro de su *gens*: era lo más parecido a nuestro apellido. A menudo derivaba de un apodo: *caesar*, «cabelludo».

- Todavía podía añadirse un cuarto apelativo, tomado por el propio interesado o por otros que lo apodaban de una determinada manera en la edad adulta, generalmente en recuerdo de algún hecho especial. Un caso clásico es el de Publio Cornelio Escipión, que fue denominado *el Africano* tras sus victorias sobre Aníbal.

Hasta ahora nos hemos referido sólo a la clase patricia romana. Los esclavos y la gente del pueblo, que se movían en un círculo más reducido, no precisaban en general de tanta complicación onomástica. Para ellos un nombre era más que suficiente, y era frecuente ver en este alusiones de lo más triviales: Fabius («haba»), Agricola («agricultor»), si no meras alusiones corporales, que eran zaheridas sin piedad: Claudius («cojo»), Caecilia («cieguecita»), Cicero («verruga»), Baudus («necio»).

Nombres griegos

Una fuente muy importante, esta sí bien viva en nuestro repertorio onomástico, es la de los nombres de origen griego clásico, tanto los mitológicos como los de la vida cotidiana.

Los primeros (Zeus, Afrodita, Hermes, Poseidón) hunden sus raíces en la noche de los tiempos, y su sentido todavía resulta oscuro, aunque probablemente su significado debe de estar muy vinculado a fenómenos naturales. Sólo serán lícitas hipótesis más o menos arriesgadas sobre ellos.

El sistema onomástico griego fundía en un solo nombre una asociación entre varios elementos. Pericles era «el muy afamado»; Aristóteles, «el que tiende al mejor fin».

La repetición del patronímico inducía a añadir una referencia genitiva al clan o al lugar de nacimiento: Demosthénes Demosthénous Paianieus, «Demóstenes hijo de Demóstenes de Paiania». La referencia a la familia, al padre o al lugar de origen constituye una constante de todo sistema onomástico.

En cuanto a los significados habituales, la cultura griega exaltaba cualidades asociadas al refinamiento y la distinción. Así pues, Sócrates significaba «sano y fuerte»; Aspasia, «bienvenida»; Inés, «casta». Destaquemos el gusto por el ágora y el diálogo, reflejado en nombres como Anaxágoras, Arquíloco, Crisóstomo, que significan, todos, «buen orador». O por la belleza femenina, visible en patronímicos como Calisto.

Todo este vasto acervo de nombres llega hasta nosotros por un doble camino. Los Evangelios del Nuevo Testamento, redactados en griego (salvo posiblemente el de San Mateo), y las primeras comunidades cristianas, desarrolladas abundantemente en áreas de influencia cultural helénica, permitieron la difusión de los nombres de numerosos personajes. Onésimo («útil»), Priscila («vieja»), Filemón («amoroso»), Dídimo («gemelo») o Eusebio («piadoso») son nombres familiares para todas aquellas personas habituadas a la lectura de los libros sagrados.

Todos estos nombres se incorporan a la cultura romana, y son adoptados también por los cristianos de la Ciudad Eterna, fundiéndose con los latinos. De esta manera se dejan de lado los nombres «paganos», como Aristóteles o Demócrito. Pero el brillo de la cultura clásica es redescubierto durante el Renacimiento, y las personas versadas en ella gustan de revivir en sus hijos los gloriosos nombres de la cuna de nuestra cultura, con lo cual se actualizan apelativos ya olvidados. Primero son los círculos más cultos, luego los populares, los que acogen nombres como Sócrates y Alejandro, o se atreven con otros más audaces como Pitágoras y Solón, y hasta la literatura acaba cooperando en esta tendencia con la invención de nombres como Haidée, que Byron y Dumas padre utilizan en sus novelas, inspirándose en el griego moderno *xaïde*, «la acariciada».

Nombres hebreos

Hasta aquí, hemos visto nombres procedentes de pueblos poderosos, creadores de las bases de nuestra cultura. Resulta lógico, pues, que tengan un reflejo importante en nuestro repertorio. Más ajeno es el pueblo hebreo, una de tantas comunidades pequeñas, ignoradas en un rincón del Mediterráneo, cuyos nombres, sin embargo, han alcanzado una impronta universal. La razón, claro está, se halla en la religión cristiana, que, aunque rompiendo totalmente con su antecesora judía, busca en los primeros tiempos referirse a ella, deseosa de una legitimidad histórica que en su propia tierra le niegan.

El caso es que las figuras del Antiguo Testamento son adoptadas por los cristianos, que se sienten sucesores de ellas, y sus nombres trascienden a las incipientes comunidades. Existe una notable desproporción entre nombres bíblicos masculinos y femeninos: los primeros son unos 3000, mientras que los segundos sólo son 170. Muchas mujeres notables de la Biblia ni siquiera son mencionadas por su nombre.

El sistema onomástico del pueblo judío presenta unas peculiaridades muy características: comprende, más que en ningún otro caso, nombres teóforos, es decir, en los que se utiliza la palabra *Dios*. Siglos de persecuciones, destierros y matanzas habían acentuado la devoción por la divinidad, fuente eterna de consuelo y protección. ¿Qué hay, pues, más natural que detectar su presencia en los nombres? Pero un pueblo a la vez tan temeroso de la blasfemia tenía proscrita la pronunciación del nombre de Dios, por lo que este era aludido con partículas como *-el*, *-iah*, equivalentes a perífrasis indirectas («Él», «Aquel»). Vemos así nombres como Uriel, Miguel, Rafael, Sofonías, Ezequías... Incluso las dos partículas llegan a juntarse a veces, como en Elías, Isaías, Joel, Eliú (literalmente, «Dios-Dios»). En contraste, los nombres femeninos sorprenden por su gracia y frescura: Débora («abeja»), Tamar («palmera»), Noemí («mi delicia»).

En la comunidad judía no era habitual imponer nombres de patriarcas anteriores a Abraham, lo que explica la ausencia de estos en la primitiva nomenclatura cristiana. A partir de la Reforma las comunidades protestantes, en busca de una comunicación directa con lo divino, adoptarán estos nombres, y después, a algunos siglos de distancia, aunque con menor intensidad, lo harán también los países católicos.

Nombres germánicos

La situación del mundo occidental cambia drásticamente tras la invasión de los pueblos antes agazapados en los bosques del norte. Si los nombres judíos se orientaban hacia la evocación obsesiva de Dios, los de los primitivos pueblos germánicos hacen referencia a los valores relacionados con la guerra, el poder, la fuerza, la astucia o la sagacidad.

Con un poco de atención, pueden rastrearse estas raíces, en forma de prefijos o sufijos, en casi todos los nombres germánicos: Angilberto («ilustre por la lanza»), Alberto («noble y famoso»), Rosvita («mujer ilustre»), Archibaldo («genuinamente audaz»). No obstante, es muy discutible que estos nombres tengan realmente esos «significados». De hecho, ya al sobrevenir las invasiones del Imperio, la mayoría de las partículas habían perdido prácticamente su sentido concreto y se habían convertido en meras piezas compositivas para la formación de nombres.

La prueba es que a esas alturas eran aplicadas tanto a varones como a mujeres, y para estas últimas algunos significados resultaban realmente extraños (Berta, «ilustre», pero Gilberta, «ilustre por la flecha»). O algunos nombres tenían un sentido difícil de explicar, cuando no absurdo, como Oderico, «riqueza-riqueza». O, entrada la Edad Media, continuaban siendo aplicadas incluso a nombres de procedencia latina, germánica o griega: Abelardo, Elisenda, Leonardo…

El caso es que los nombres germánicos llegaron a sustituir, en unos pocos siglos, a todos los anteriores. Esto no ocurrió inmediatamente después de las invasiones de los siglos V-VI, sino más tarde, hacia los siglos IX-X. ¿Cuál fue la causa? ¿Imitación de la clase dominante? ¿Un renacimiento en los gustos? No está bien discernida todavía, pero los registros onomásticos de esa época apenas registran un nombre griego, hebreo o latino: Raimundos, Eanfledas, Gundisalvos, Rodericos, Ermenburgas y una infinidad de nombres similares llenan la totalidad de escrituras y registros parroquiales.

Nombres medievales, modernos y contemporáneos

La Baja Edad Media revuelve todas estas fuentes y presenta unas estructuras onomásticas bastante parecidas a las actuales. Se crean algunos nuevos nombres utilizando los «recursos» heredados: fundiendo León con Honorio se obtiene Eleonor; sobreponiendo sufijos latinos a nombres germánicos o de otras culturas surgen nuevos nombres mixtos: Elisenda; o deformando palabras en uso: Aurembiaya, Ultreya, Aragonta, Nuño. La religión impone también nuevas creaciones: Santos (por la festividad de Todos los Santos, instituida en la época), que pronto se populariza como Sancho, o Aldonza.

Pero también otras culturas dejan su huella entre nosotros. La que lo hace más intensamente es la árabe, cuyos nombres salpican nuestros registros onomásticos. La religión cristiana, sin embargo, acabará imponiendo una dura criba para ellos, y las expulsiones de moros y moriscos de los siglos XV-XVII casi los eliminarán. Llega a establecerse la prohibición de llevar nombres de procedencia árabe, que algunas familias de conversos sortearán imponiendo nombres cristianos similares: Gomar (Umar), Federica (Farida). Pero la cultura árabe, en sus manifestaciones más visibles, queda desgajada de lo español, y sólo algunos nombres, como Obdulia, Yasmina, Zulima u Omar, sobreviven en la actualidad. Alguno de ellos, por cierto, curiosamente popularizado por la misma religión cristiana: es el caso de Fátima, que conmemora un lugar portugués de apariciones de la Virgen... con nombre árabe de mujer.

La Reforma protestante introduce muchos cambios en Europa, también en el sistema onomástico. La vigilancia estricta de la ortodoxia lleva al Concilio de Trento a prohibir el uso bautismal de nombres no «legitimados» por la santidad. Hasta entonces, poco había preocupado a los padres si el nombre de su hijo había sido portado anteriormente o no, pero a partir de ese momento esa cuestión se convierte en decisiva. A partir del siglo XVI el repertorio onomástico no hará más que empobrecerse. Paulatinamente irán desapareciendo nombres como Gualterio, Gamberto, Gómaro y tantos otros, que no tenían la suerte de ir apadrinados por un santo.

Con todo, siempre se registra alguna innovación, como, por ejemplo, el abundantísimo repertorio de nombres femeninos derivados de vírgenes, que estudiaremos más adelante. Más tarde, los nuevos movimientos culturales inducen a bucear en la historia, con lo que se recuperan antropónimos griegos, hebreos e incluso germánicos totalmente en desuso.

No hemos citado todas las fuentes de las que deriva nuestro repertorio onomástico. Aquí y allá podemos picotear algunos nombres de fuentes ciertamente insólitas, popularizados por lo general por algún personaje importante: Baltasar, el legendario Rey Mago, es asirio y Onofre, egipcio, prácticamente el único nombre popular con ese origen (el caso de María no es más que hipotético), aunque injertado con el *huni-frid* germánico. Ladislao es eslavo, Ginebra o Gladis son galeses y Glenda, irlandés.

Ciertos personajes de solera han llegado hasta nosotros desde remotas culturas: de Polonia proceden Casimiro y Estanislao. Nombres como Gustavo, Helga y Oliverio son nórdicos. De la antigua Persia llegan nombres extraídos de narraciones más o menos fabulosas, como Adalia, Ciro, Leila y Roxana. O de los cartagineses provienen Amílcar o el familiar Celeste. Del ruso tenemos un abundante repertorio: Boris, Dunia, Olga, Sonia, Tania. Y no olvidemos las aportaciones de las lenguas americanas, como el taíno Anacaona («flor de oro»), el taraco Eréndira, el tupí Iracema o el azteca Cuauhtémoc.

Otras culturas hispanas también han dejado su huella en la onomástica de hoy: del catalán se han popularizado nombres como Laia u Oriol; del mallorquín, Aina; del gallego, Breogán; y del vasco, el gran renovador con nombres de fonética peculiar, Iker, Iñaki, Aitor y muchos más.

En conclusión...

Resumiendo brevemente, podemos establecer que los nombres utilizados en nuestra época y cultura proceden básicamente de seis «viveros» distintos:

— nombres bíblicos, transmitidos a través de la cultura romana como reflejo del prestigio del cristianismo;
— nombres de la mitología, en especial de la griega, conservados o resucitados principalmente gracias a los textos literarios;
— nombres griegos antiguos, transmitidos en su mayor parte a través de Roma;
— nombres latinos, que son los más extendidos y están recogidos en su mayoría en los santorales de la Iglesia;

— nombres germánicos, superpuestos a los anteriores a raíz de las invasiones bárbaras medievales;
— nombres, a menudo procedentes de alguno de estos grupos, importados desde países extranjeros, especialmente anglosajones, que presentan una grafía diferente.

Aparecen, además, otros grupos menores, como los de los nombres célticos, eslavos, árabes, persas, de la América precolombina e incluso indios o japoneses.

No nos referiremos a los nombres de tipo familiar, al nombre presente desde siempre en la familia, que debe repetirse cada generación: estos criterios no se valoran con libros. Pero hay otros sobre los que sí puede arrojarse alguna luz y dar indicaciones.

Los hipocorísticos

La palabra *hipocorístico* designa toda variante afectiva o figurada de un nombre, a menudo usada sólo en la intimidad familiar. La voz procede del griego *hypokoristikós*, «acariciador».

El hipocorístico a menudo consiste en un simple «recorte» del nombre: Rafa por Rafael, Sole por Soledad, Reme por Remedios. La lengua castellana tiende a formar el hipocorístico suprimiendo la parte final del nombre (apócope), pero en otras, como la catalana, el proceso es inverso (aféresis): Rat por Montserrat, Ció por Concepció.

Frecuentemente se aprecian divergencias claras respecto a la forma canónica del nombre original: Nacho por Ignacio, Chelo por Consuelo. Y a veces el grado de evolución es tal que resulta difícil emparentar la forma hipocorística con la original: ¿quién vería a primera vista relación entre Tula y Gertrudis, o entre Avoiza y Eduvigis?

En ocasiones resulta entretenido rastrear la evolución del nombre hasta llegar al hipocorístico. De la forma hebrea Jacob se originan Jaco, Jago o Yago, que, fundidos con el título del santo, dan lugar a nuestro popular Santiago. En italiano, con la nasalización de la *b*, Jacobo pasa a Jácome, de donde procede el catalán Jaume, y finalmente Jaime.

Similar es el caso de Francisco, que, fundido con el antiguo nombre ibero Pacciaecus, da Pacheco. Por otro lado, Phranciscus pasa a Phacus y Pacus, de donde surge nuestro popular Paco. Otra dirección evolutiva lleva a Francisquito, y de allí a Frasquito. Y en otra pirueta divergente, se llega a Fransciscurro y al taurino Curro.

Los nombres femeninos no evolucionan menos: Eulalia pasa a Olalia, Olaria y Olalla, de donde, acortando por delante, surgen Lalia, Lalla y finalmente Laia, que ha trascendido finalmente su origen catalán para popularizarse en toda España.

De hecho, la mayoría de nombres generan a su alrededor una «constelación» de formas que en principio son hipocorísticas, pero muchas de las cuales acaban adquiriendo con el tiempo independencia y virtualidad propia. El patrón de Madrid se llamaba en realidad Isidoro, no Isidro, pero la Iglesia admitió la variación popular de su nombre para no confundirlo con San Isidoro de Sevilla. Ruperto es en principio lo mismo que Roberto, pero nadie los toma hoy como equivalentes. Y otro tanto podría decirse de los comentados Eulalia/Laia, Santiago/Jaime e infinitos más.

El estudio de esta rama, una de las más apasionantes de la antroponimia, es en la práctica extraordinariamente difícil, pues casi cada persona tiene su hipocorístico propio. ¿Quién adivinará el camino por el que Asunción pasa a Tuta? Asunta-Tunta, una pronunciación infantil acogida gozosamente por los mayores. En fin, que resulta imposible pretender una sistematización hipocorística.

LA IMPORTANCIA
DEL NOMBRE

Nomen, omen

Nomen, omen («Un nombre, un destino»), decían los romanos. ¿Influye el nombre en el destino de su portador? De hecho, conocemos algunos casos: la actriz Shirley MacLaine (su nombre verdadero es Shirley MacLean Beaty) se llama así por la actriz infantil Shirley Temple y Scarlett Johansson, por Escarlata, la protagonista del filme *Lo que el viento se llevó*. No cabe duda de que sus respectivos modelos inspiradores, circunstancia que con toda seguridad se ocupaban de remarcarles sus padres, han influido en la elección de sus respectivas carreras cinematográficas. En otro lugar citamos el caso de Salvador Dalí, a quien se hizo creer que era una encarnación de su hermano fallecido un año antes.

El caso es que un nombre puede influir muy especialmente... de forma negativa, cuando los padres del portador lo han elegido con poco cuidado, o a veces incluso con cierto sadismo. Como ya hemos comentado, si el padre y la madre se apellidan ambos Ramón, ¿qué necesidad hay de poner este nombre de pila también a su hijo? Llamarse Ramón Ramón Ramón sin duda provocará las burlas infantiles, y en ese sentido claro que puede influir en el destino, al menos a la hora de albergar cierto resentimiento hacia los padres que no supieron prever estas situaciones tan desagradables.

De todos modos, abundan los ejemplos de personas «predestinadas» (¡o «antipredestinadas»!) por el nombre. La siguiente lista es un breve resumen de la publicada en la *Enciclopedia de los nombres propios*.[1]

---

1. Josep M. Albaigès i Olivart, *Enciclopedia de los nombres propios*, Editorial Planeta, Barcelona, 1998.

23

Nombres predestinados

Nombre	Apellido	Actividad
Abel, rey de Dinamarca (1218-1252)		Mató a su hermano Erik II para arrebatarle el trono; dos años más tarde fue muerto por los frisones.
Emilio y Ana	Botín	Directores del Banco de Santander
Julio César	Carman (ing. «conductor»)	Presidente del Automóvil Club Argentino
Renato	Carosone (it. «querido sonido»)	Cantante muy popular en los años cincuenta y sesenta del siglo xx
Jordi	Cendra (cat. «ceniza»)	Presidente de la sociedad funeraria Serfum (cat. «Ser Humo»), de Reus
Ángel	Curto Curto	Curtidor (Plasencia)
Groaner	Digger (ing. «excavador»)	Enterrador (Houston, Texas)
Hermanos	Entrecanales	Constructores
Jorge	Fondón	Director de la cuenta de Biomanán
Familia	Font (cat. «fuente»)	Fontaneros
Rufino	Gea (gr. «tierra»)	Ingeniero de minas, especialista en geología
Carles	Gel (cat. «hielo»)	Montañero que sufrió congelaciones al intentar en solitario la ascensión del Aconcagua en 1990

(Continúa)

María	*Izquierdo Rojo*	*Eurodiputada del PSOE*
Rafael	*Juristo Sánchez*	*Abogado de Barcelona*
Christian	*Lamoignon de Malesherbes (fr. «malas hierbas»)*	*Censor de publicaciones en tiempos de Voltaire, muy aficionado a la botánica*
Jaime	*Mayor Oreja*	*Ministro español del Interior*
Dr. Zoltan	*Ovary*	*Ginecólogo (Estados Unidos)*
Ana	*Perfecta Calzada*	*Esposa de José Echegaray, ingeniero de caminos, literato, economista y premio Nobel*
Heinrich	*Pudor*	*Famoso nudista del siglo XIX*
Benito	*Santos Santórum*	*Sacerdote, nacido en la calle Jerusalén de Santiago de Compostela*
Rufino	*Sastre*	*Sastre de Madrid*
Monseñor	*Sin (ing. «pecado»)*	*Cardenal de Manila*
Antonio	*Torrejón Barajas*	*Jefe del Departamento de Prensa del Aeropuerto de Madrid-Barajas*
Gaspar	*Zapata Marino*	*Ingeniero de caminos especialista en cimentaciones*

Dos apellidos en España: ¿por qué?

Muchas personas se sienten intrigadas por la costumbre española de imponer dos apellidos, casi única en el mundo, pues lo más habitual es uno solo. Convendría aclarar previamente que todos tenemos tantos apellidos como queramos o recordemos: los que pertenecieron a nuestros antepasados, y la ley reconoce este derecho como un patrimonio más del individuo. En genealogía existen unas reglas muy estrictas para llevarlos. Por ejemplo, supongamos la ascendencia de un individuo hasta la cuarta generación:

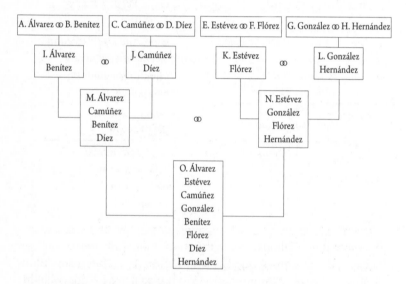

En el detalle de los apellidos de cada persona de la descendencia se observa la forma de ordenar estos por intercalación, según una regla que, en cuanto hay unas cuantas generaciones, puede llegar a complicarse bastante.[2]

---

2. Véase el artículo «La función reflex y el método Albaigès», en http://www.albaiges.com/genealogia/reflexalbaiges.htm.

Entonces, ¿por qué usamos dos apellidos? Simplemente, porque la Ley de Registro Civil establece que sólo se admitirán en este número para la inscripción, y confundimos este deber con el derecho a usar los que queramos. Preguntemos si no a los vascos, que tienen a gala exhibir la lista completa de sus antecesores hasta tantas generaciones como sean capaces de recordar.

Los apuros de un escritor de doble apellido

Todo el que haya viajado al extranjero ha pasado por la experiencia de ser designado por su segundo apellido, como consecuencia del uso, en la mayor parte del mundo, del apellido simple. Pero es más divertida la anécdota narrada por el escritor cubano Guillermo Cabrera Infante, residente en Londres. Al llegar a la terminal del aeropuerto, una azafata le preguntó:

—¿Dónde está el bebé?

—¿Qué bebé? —contestó el apurado escritor.

—Bien claro lo dice su billete: Infante. Eso significa bebé, en inglés.

Debemos modificar, pues, la pregunta de por qué en España se inscriben sólo dos apellidos. Las costumbres onomásticas españolas, en ningún modo uniformes, quedaron fijadas por ley en la reforma administrativa de Javier de Burgos de 1835, que estableció los dos apellidos de marras.

¿Por qué se produjo esta reforma? Hay que suponer que en el proceso de redacción de la ley algún funcionario emitiría un informe en que se recomendaba este uso (por otra parte de amplia tradición en España), y la ley se acomodó a él.

Esta costumbre es observada en muchos países hispanoamericanos, como Cuba. Algunos dejan libertad para que sean uno o dos (Venezuela), y otros (México) mantienen dos apellidos, pero al estilo anglosajón, es decir, el principal, ordinariamente transmitido por vía paterna, es el segundo, no el primero.

Apellidos singulares

Nada tienen que envidiar al residente en Zagreb Sr. Papandovalorokomduronikolakopulovski los belgas con el apellido O, tampoco los naturales de Myanmar (antigua Birmania) llamados E o U. Quien sí que se sale de lo normal es alguien nacido en Hamburgo en 1904, actualmente en Filadelfia, pesadilla del funcionario de turno, Adolph Blaine Charles David Earl Frederick Gerald Hubert Irvin John Kenneth Lloyd Martin Nero Oliver Paul Quincy Randolph Sherman Thomas Uncas Victor William Xerxes Yancy Zeus Nolfeschlegelsteinhausenbergerdorffvoralternwarengewissenshaftschaferswessenschfewarenwohlgepflegeundsorgfaltigkeitbeschutzenvonangreifendurchihrraubgierigfeindewelchevoralternzwolftausenjahreavorandieerscheinenwandereratesteerdemenschderraumschiffgebrauchlichtalsseinursprungvonkraftgestartseinlangefahrthinzwischensternartigraumaufdersuchenachdiesternwelchehabtbewohnbarplanetenkreiaedrehensichundwohindernernerassevonverstandigmenschlichkeitkontefortpflanzenundsicherfreuenanlebenslanglichfreudecundruhemitnichteiafurchtvorangreifenvonanderintelligentgechöpfsvonhinzwischensternartigraum, Senior. En sus tarjetas de visita figura la impresión: «Blaine Hubert Wolfe † 585, señor».

Desde luego, el doble apellido es una ventaja, porque evita confusiones, sobre todo en un país de escasa variedad onomástica como España, donde una docena de apellidos ocupan el 25 % del *ranking* total.

Esta posibilidad de confusión la palian un tanto los anglosajones con el *middle name*, palabra que, de hecho, es un segundo nombre, pues puede aplicarse libremente, aunque en algunos lugares se toma como tal el apellido de la madre (este hábito no es ni mucho menos universal).

Originalidad a toda costa

Muchos padres convierten en una cuestión decisiva la elección de un nombre muy original para su hijo, en el que se proyectan ellos mismos y su cultura. ¿José, Juan, Antonio, Pedro? ¡Qué horror!¿Bungundófora, Eustaquia, Liduvina? ¡Peor todavía! Se busca originalidad, pero no rareza; eufonía, pero no simplicidad. Hay quien se traga un diccionario entero de nombres sin hallar lo que realmente le gusta.

3-1

He conocido a un niño en Portoviejo, capital de Manabí, que cometió la imprudencia de nacer cuando su papá vivía la euforia de un 3-1 conseguido por su equipo contra el adversario más temido. Lo recordará toda su vida. Se llamará siempre Tresaúno Loor Cedeño (Darío Vidal, ABC, 16 de septiembre de 1998).

Podemos permitirnos aconsejar a esos bienintencionados padres; en definitiva, para algo han comprado el libro. La primera recomendación es que acoten el campo de búsqueda para evitar horas y días de estéril vagar por los diccionarios. Lo mejor es decidirse, en primer lugar, por uno de estos ámbitos: religión, historia, mundo clásico, eufonía, actualidad. Desde luego, estas opciones pueden ser ampliadas en función de los gustos personales de los padres. ¿Conciben la religión como un valor fundamental de sus vidas? Así pues, ese es su terreno.

¿Son aficionados al devenir histórico de los pueblos? ¿O al mundo de la cultura, de la poesía, del arte? ¿Sienten que el nombre debe ser acariciador para el oído? ¿Son aficionados a las revistas, a la televisión, incluso a la política? En cada caso, la respuesta supondrá la delimitación de un campo.

Una vez elegido este, la búsqueda se reduce. Se pueden consultar entonces los libros correspondientes, los diccionarios, incluso internet, y ver qué nombres encajan más con los gustos personales. Hay que seleccionar media docena de posibles nombres.

Finalmente, los padres estudiarán cada nombre en combinación con los apellidos. Los deben pronunciar no una, sino muchas veces, y han de intentar descubrir asociaciones, especialmente las negativas. Sin duda, la lista de nombres quedará reducida a tres, a lo sumo.

Entonces deben decidirse por uno. No tiene mucha importancia cuál; hay incluso quien lo echa a suertes. Pero nunca han de dejar la elección a otras personas; los padres no deben renunciar a ese derecho esencial. Se regirán por otro criterio, incluso el alfabético, con la idea de dejar para otro hijo los descartados.

El sexo, claro

Una de las pocas restricciones todavía vigentes en la Ley de Registro Civil es que el nombre debe expresar sin ambigüedad el sexo de su portador. Este tema no tendría mucho interés en los países anglosajones, habituados a la indefinición en este campo (recordemos al actor Leslie Howard y la actriz Leslie Caron), pero en el mundo cultural hispánico a nadie le gusta que confundan su sexo, por lo que nos parece que la ley es adecuada a la sociedad a la que debe servir.

Pero ¿qué nombres son masculinos o femeninos? Desde luego es la experiencia la que lo decide, pero la ambigüedad a veces aparece. Un criterio elemental y apresurado es imaginar que son masculinos todos los nombres terminados en -o y femeninos los acabados en -a. Es válido, en principio, pero las excepciones son tan numerosas que esto debe ser manejado con cuidado. A modo de ejemplo, de los 530 nombres masculinos impuestos en Barcelona en 2003 sólo un 25,7 % terminaban en -o, mientras que de los 530 nombres femeninos, el 69,2 % lo hacían en -a. Señalemos como curiosidad que el 1,6 % de los masculinos terminaban en -a y el 0,9 % de los femeninos lo hacían en -o.

En realidad, muchos nombres germánicos masculinos terminan en -a y otros griegos o hebreos femeninos, especialmente de vírgenes o hipocorísticos, en -o. Vale la pena elaborar una lista con algunas de las excepciones más frecuentes:

Nombres masculinos terminados en -a

Abba	Calígula	Hortícola	Sunna
Agila	Ceda	Krishna	Tulga
Agrícola	Chema	Letrida	Uldila
Agripa	Columela	Liuva	Uña
Areopagita	Dioscola	Murita	Ventura
Arminda	Egica	Natroba	Vintila
Atila	Estilita	Nearca	Virila
Baptista	Evangelista	Nerva	Visa
Bautista	Ezra	Noa	Visila
Beda	Faida	Oliba	Vulfila
Benicasa	Favila	Quintila	Walia
Bera	Fradila	Ra	Wamba
Bidaba	Galba	Rustícola	Wintila
Blanquerna	García	Sala	Wisila
Borja	Geda	Sarra	Wulfila
Bosa	Geila	Sebastia	Xema
Bova	Gelvira	Séneca	Yugurta
Brahma	Gila	Sila	Zenobita
Buenaventura	Gomila	Sula	
Buendía	Gonzaga	Suniva	

31

Nombres femeninos terminados en -o

Amparo	Claustro	Leto	Pueyo
Arrako	Cleo	Lolo	Refugio
Auxilio	Clío	Loreto	Remedio
Brezo	Consejo	Lucero	Rocío
Buen Consejo	Consuelo	Martirio	Rosario
Buenconsejo	Coro	Melio	Sacramento
Calipso	Dido	Milagro	Safo
Calisto	Elo	Misterio	Sagrario
Camino	Emo	Núnilo	Socorro
Campanario	Erato	Olvido	Soto
Chamorro	Espino	Patrocinio	Sufragio
Charo	Flo	Perpetuo Socorro	Tránsito
Chelo	Imperio	Pino	Valdehunco
Cielo	Io	Puerto	Zafiro

De todos modos, en los últimos tiempos, con la abundante inmigración y el considerable aumento de nuevos nombres que han sido registrados, el tema se ha vuelto muy complicado.

¿Sabrán los encargados de los registros civiles si Li, Way, Kunta o Sabor son masculinos o femeninos? ¡Otros nombres, como los indios Babi o Hinni, para mayor complicación, valen para los dos sexos!

Antiguamente, las listas publicadas por los registros civiles a efectos estadísticos olvidaban a veces mencionar el sexo, costumbre que en la actualidad es insostenible.

Hay que tener especial cuidado con los nombres de género común, aplicables tanto a hombres como a mujeres.

Salvo en comunidades en los que la costumbre ha eliminado toda ambigüedad (por ejemplo, Montserrat en Cataluña), es aconsejable meditarlo bien antes de adoptar estos nombres, que son más numerosos de lo que parece a simple vista.

Nombres de género común

Amable	Nicomedes
Áquila	Noa
Carmen	Patrocinio
Consuelo	Pau*
Cruz	Paz
Dara	Remedios
Elo	Reyes
Innumerables	Sacramento
Jovita	Socorro
Martirio	Sol
Mayor	Spe
Montserrat	Trinidad
Natividad	

El nombre catalán Pau equivale a los españoles Pablo (masculino) y Paz (femenino).

La experiencia nos ha enseñado que las confusiones son frecuentes con determinados nombres. Aparte de con los ya citados, ocurren con nombres como Eustoquio (gr. «buena madre»), que, como debe ser usado para mujeres, es frecuente que se concorde en Eustoquia.

• Nara es el nombre de una deidad hindú masculina.
• Liuva, forma antigua de Luis, es un rey visigodo.
• Jovita significa «relativo a Jove» (Júpiter) y, como otras palabras terminadas en -ita (areopagita, selenita), es masculino.

El tema ha cobrado complicación en los últimos tiempos con la irrupción de la abundante inmigración hispanoamericana, pues en los países de origen es frecuente considerar masculinos nombres como Piedad, Paz, Asunción, Carmen y muchos más.

El cambio de apellido de la mujer

Durante muchos años fue costumbre muy arraigada en la mayoría de países que la mujer cambiara su apellido por el del marido al contraer matrimonio.

Este hecho introducía dificultades en la identificación de muchas mujeres, que se veían obligadas a utilizar en sus tarjetas de visita fórmulas como «Carmen López, de soltera, Rivera».

En realidad, los defensores de la costumbre no consideraban que se tratara del apellido del marido, sino del de la casa, lo cual estaba en consonancia con costumbres de siglos anteriores.

En épocas previas al registro civil, esto era muy corriente, pero el matrimonio de un segundón con una rica heredera iba seguido automáticamente por la adopción del apellido de la casa de esta por parte del marido; así pues, lo que predominaba en muchos casos era el apellido de mayor linaje.

En España no se acepta a nivel legal esta costumbre, pero, de forma oficiosa, las mujeres solían identificarse, como si fuera un segundo apellido, con el del marido.

Eran bien corrientes las denominaciones del tipo: Dolores Rodríguez de López.

La liberación femenina ha traído cambios en ese terreno, que lo han hecho más confuso todavía.

Por supuesto, en ningún país de nuestra órbita es ya obligatoria esa adopción.

Algunos optan por fundir ambos apellidos: a partir del matrimonio de un García con una Ramírez, el apellido común para ambos será García-Ramírez (¡o al revés, la igualdad ante todo!).

Nada se dice sobre las sucesivas generaciones, que pueden ver multiplicados los apellidos y los guiones, aunque resulta ocioso advertir que ese doble apellido no es admitido por el registro civil si no es a través de un largo y complicado expediente.

Porque ¿qué ocurrirá en la próxima generación si el hijo de los García-Ramírez se casa con la hija de los Romero-Navarro? Quizás pre-

Los tocayos

En la ceremonia nupcial romana era costumbre que la desposada pronunciara la fórmula «Ubi tu Caius, ego Caia» («Donde tú seas Cayo, yo seré Caya»). *Cayo era uno de los nombres más comunes en la antigua Roma, de modo que hablar genéricamente de un Cayo era como hacerlo de un romano.*

La mujer cambiaba el nombre al casarse, y con el juramento indicado expresaba su voluntad de compartir la suerte de su esposo.

De esta expresión procede la palabra tocayo, *que se aplica, efectivamente, a los que comparten el mismo nombre o apellido.*

viendo esta posibilidad, otra solución se abre camino: en un país como Estados Unidos, que posee la máxima libertad onomástica, muchos están recurriendo a los apellidos híbridos.

Los consortes Harry Finkelstein y Jamie Kelem juntaron sus apellidos y se convirtieron en los Finklems, para desesperación de los indagadores de etimologías.

Más problemas: si la mujer adopta el apellido del marido, ¿qué ocurre al disolverse el matrimonio?

Generalmente, si una pareja se divorcia, la mujer tiene la opción de recuperar el apellido de soltera o bien de conservar el del marido. Un caso bien conocido es el de la actriz y directora de cine Natalie Delon, esposa del actor Alain Delon, que se hizo famosa con el apellido de su marido y lo conservó al separarse de este.

De todos modos, el empuje contra esa costumbre, que las feministas asimilaban a una «pertenencia», ha cedido bastante. Según un artículo publicado por la revista estadounidense *Bride's* en 1996, el 87 % de las mujeres tenían intención de adoptar el apellido del marido, frente a un 14% en el año 1992. Y las más jóvenes eran precisamente las más partidarias de la costumbre tradicional.

Nombres curiosos por combinación con el apellido

Empecemos por los nombres raros que consiguieron ganar una competición celebrada por una conocida revista en 1979.

El concurso fue organizado con total seriedad, y era necesario presentar el DNI para poder participar.

Los que alcanzaron los primeros lugares han coincidido con el autor en numerosos programas de radio y televisión, y algunos se niegan ya a acudir a ellos, cansados de la inesperada popularidad que les han proporcionado sus nombres.

Junto al nombre de pila y los apellidos, se incluye el número de votos conseguido por cada concursante, que da cierta medida del grado de «curiosidad» del nombre.

Para nombres raros, los de Ecuador

Bautizar a los hijos con nombres extraños parece una tradición arraigada en Ecuador. Un periodista se ha topado en el registro civil con nombres como Calcomanía Morcillo o Circuncisis Cedeqo.

Al parecer, los padres se dejan llevar por la euforia del momento. Sólo eso puede justificar que existan ciudadanos llamados Dosaúno Angulo, Justo Empate Piguave o Campes Invicto Rodríguez.

Así, el cariño fue la causa para que una niña lleve el nombre de Amor Demivida y otra haya sido registrada como Niña Demisojos (ABC, 26 de mayo de 1998).

Concurso Lecturas 1979

Núm.	Nombre	Apellido	Votos	Localidad
1	Juan Carlos	Rey de España	30792	Noya (La Coruña)
2	Estrella de la	Osa Mayor	12942	Madrid
3	José Luis de	Mier Daza	8172	
4	Concha de	Oro Pulido	7608	
5	Luis	Conesa Cara	5754	Cornellà (Barcelona)
6	Rosa	Flor del Rosal	5280	Sabadell (Barcelona)
7	Ramona	Ponte Alegre	4794	Terrassa (Barcelona)
8	Almudena	Panparacuatro Seco	2844	
9	Rosa	Gusano Culebra	2706	Pareja (Guadalajara)
10	Libertad del	Pueblo	2664	
11	Camino	Verde del Río	2022	Madrid
12	Rosa	Naranja Limón	1878	
13	Vicente	Cordero Guisado	1872	
14	Jesús	Amigo de la Iglesia	1770	Requena (Valencia)
15	Agustín	Cabeza Compostizo	1572	
16	Agustín	Verdura Salada	1524	Barcelona
17	Blanca	Negro Rubio	1470	
18	Felicidad da	Pena de Madre	1380	
19	Dolores	Camino de la Cruz	1224	
20	Pilar	Bello Busto	1224	Castilleja de la Cuesta (Sevilla)
21	Amparo	Loro Raro	1062	Valencia
22	Victoria del	Rey Guerrero	1062	Madrid
23	García	García García	1014	Aranjuez (Madrid)
24	Guillermo	Tell	966	
25	Iluminado	Imedio Barato	912	Figueras (Gerona)
26	Miguel	Marco Gol	894	Barcelona
27	Ángeles	Baile la Pieza	870	
28	Manuel	Toro Bravo	852	Sevilla
29	Pedro	Trabajo Cumplido	846	
30	Eduardo	Barriga Valiente	756	

(Continúa)

Núm.	Nombre	Apellido	Votos	Localidad
31	José	Valiente Primo	744	
32	Florentina	Rico Melón	612	
33	Dolores	Díez Orejas	564	
34	Francisco	Enamorado de los Reyes	558	
35	Teresa	Puerro Lozano	552	Madrid
36	León	Cárcel Celda	546	
37	Sagrario	de la Iglesia	540	
38	Blanca	Flor del Campo Huerta	534	
39	Maximino	Aires del Campo	534	Bogajo (Salamanca)
40	Mateo	Verd Mut	504	
41	Elena	Carroza Real	492	
42	Cruz	Muerte	468	Madrid
43	Servando	Sierra Cabezas	462	
44	Abundio	Verdugo de Dios	456	
45	Nicolás	Tomé Tocino	414	Palencia
46	Ángel Luis	Polo Sabroso	384	
47	Rosario	Cordero de Jesús	354	
48	Rosa	Dura Cerda	348	
49	José	Gordo Magro	336	
50	Pilar	Vecino Alegre	312	
51	Joaquín de la	Paz Guerra	306	Madrid
52	Dolores	Laguarda del Toro	270	
53	José Antonio	Caballero de la Paz	270	
54	Marcos	Redondo Cuadrado	264	
55	Inés	Hoyo Redondo	234	Madrid
56	Generoso	Jerónimo del Río Manzanares	228	
57	Invención	Verde Feliz	216	
58	Carmelo	Tirado de la Cruz	192	
59	José María	Conde Poderoso	174	Cádiz
60	Javier del	Tiempo Alegre	126	
61	Alfonso	Duro Cantero	48	

Y, de, la, le, von

Las partículas *y* y *de*, antes privativas de muy pocos apellidos, se han democratizado en los últimos años. Se empezó permitiendo el uso de *y* entre dos apellidos terminados en *-ez*, y hoy el propio registro civil la impone sistemáticamente para todo el mundo, aunque en general es poco utilizada.

También *de*, previa petición, puede ser antepuesta libremente a los primeros apellidos que sean nombres de persona (Pedro, Ramón, Martín y tantos otros). Nunca ante apellidos en *-ez*, pues sería una tautología: *-ez* significa precisamente «de» o, con más exactitud, «hijo de». En efecto, en castellano la partícula *de* no forma parte del nombre, sino que es un mero indicativo de procedencia o filiación, pero sí se da esta pertenencia, en muchos casos, en francés e italiano. Apellidos como De Gaulle, D'Alembert y otros son el tormento de los que elaboran enciclopedias, que no saben si ubicarlos en la *D* o en la letra correspondiente. En ocasiones la partícula acaba fundiéndose con el apellido: Descartes.

Algo parecido ocurre con otras partículas, como *la* o *le*, muy frecuentes en francés y también fundidas a menudo, como en Lagrange, *von* y otras. En árabe, palabras como *Muhammad* en realidad no forman parte del nombre, sino que son un título más (como el español *don*); pese a ello son tomadas por un apellido por traductores inexpertos. Algo similar ocurre con el indio *Shri*, el indonesio *Abdul*, etc.

¿Un nombre para toda la vida?

Los apellidos tienden a modificarse a lo largo del tiempo por muchas razones: un escribiente descuidado, que transforma Albagés en Albaigés; el propio portador que, por no conocer la gramática, escribe Escuredo en lugar de Escudero, o, por el contrario, siguiendo erróneos afanes cultistas, transforma Sedó en Cedó.

A menudo, los cambios son introducidos por los hablantes de la zona en que se asientan o el área cultural en que se desenvuelven. El general inglés Marlborough se recuerda en España como Mambrú: «Mambrú se fue a la guerra. ¡Qué dolor, qué dolor, qué pena!». El marido de Isabel II de Inglaterra traduce su apellido alemán, Battenberg, como Mountbatten. De hecho, el nombre de la casa real Windsor es el resultado de un cambio desde el primitivo nombre alemán, Mountbatten, que no era muy popular en Gran Bretaña en los tiempos de la primera guerra mundial.

Cambio de nombre

En Italia basta un papel timbrado y unos 400 euros para librarse de apellidos tan malsonantes como Porco («puerco»), Frocione («marica») o Piselli («guisante», pero también «pene»), y cambiarlos por los más normales de Porto, Frone o Guidelli. En los últimos diez años, más de 2000 italianos, abochornados con las burlas más o menos veladas de colegas de trabajo, anónimos telefonistas o escolares, por culpa del doble sentido de sus apellidos, se han pasado por el juzgado y han salido con una nueva identidad, desde luego menos llamativa. La ley italiana permite cambiar nombre o apellido «en caso de ser ridículos, vergonzosos o por revelar origen ilegítimo». De este modo, el señor Bocchini («boquitas», pero también «follador») sale tan contento con un leve cambio de apellido, Baccini («besitos»), o un tal Mezzasalma («medio cadáver»), como don Umberto Mezzani, mucho menos lúgubre pero no demasiado diverso para que el cambio no sea muy llamativo y cree confusiones. Qué decir del profundo respiro de alivio con el que sale del juzgado el señor Maiale («cerdo»), convertido en Mailer; el señor Castrato («castrado»), en Castaldo; el señor Bufone («payaso»), en Busoni; y don Giovani Finocchio («maricón»), en Finoli, y no digamos las señoras Cane («perro» o «prostituta») o Zoccola («rata»), renacidas a la vida en sociedad como Canese o Secola (ABC, 3 de diciembre de 1996).

(Continúa)

En Bélgica se dio unos años la moda de cambiar de nombre y apellido, facilitada por la nueva legislación, que permite esta «cirugía estética nominal» por 20 000 francos de nada (unos 500 €). Curiosamente, esta revolución es las antípodas de la realizada hace unos años por el dictador de la ex colonia belga del Zaire, el presidente Mobutu, que un buen día decidió prohibir los nombres cristianos por no ser «auténticos», es decir, de origen africano puro. Y dio él mismo el ejemplo despojándose de su colonialista nombre Joseph Désiré para adoptar el de Mobuto Sesé Seko, advocación tribal de mayor sabor indígena. Por cierto, con los nombres europeos, desaparecieron también los títulos, sustituidos por el igualitario «ciudadano»… con una excepción, la del propio Mobutu, que se autotitulaba mariscal cediendo a las insistentes peticiones de su pueblo agradecido… hasta que fue derrocado por este.

El escritor Rafael León hace notar que el protagonista de *El carbonero alcalde*, de Pedro Antonio de Alarcón, es llamado por este Atienza, corrigiendo así el apellido que el propio humilde alcalde de Lapeza declaraba como Atencia. Pero los descendientes de aquel Manuel Atencia, seducidos por la rectificación del novelista, acabaron por adoptar la forma Atienza.

Todos nos hemos preguntado si es posible cambiarse el nombre en España. La respuesta es afirmativa, pero hacerlo es bastante complicado. Los casos más sencillos son los siguientes:

• Como consecuencia de una adopción. Un extranjero, al nacionalizarse español, puede cambiar sus apellidos, si lo desea, para adaptarlos a la legislación española. Esto incluye la adaptación a nuestra fonética, que puede requerir modificaciones ortográficas.

• Para evitar la pérdida de un apellido español. Por ejemplo, los descendientes del famoso artillero Daoiz, héroe del 2 de mayo, unieron Pérez-Daoiz para evitar la pérdida del apellido.

• También pueden cambiarse apellidos hoy considerados infamantes, como Expósito o similares, o aquellos impuestos con infracción de las normas establecidas y aceptados por error por parte del encargado del registro civil.

• Cuando el apellido sea contrario al decoro u ocasione graves inconvenientes: los numerosos Ladrón, Barriga o portadores de apellidos similares pueden acogerse a este artículo, aunque es raro que lo hagan.

• Con la actual legislación, es posible cambiar el nombre o el apellido castellanos a la forma de las otras lenguas oficiales del Estado. Los cambios de José a Josep o de Salud a Saúde no requieren más que una instancia.

Todos estos casos requieren la instrucción de un expediente, que suele resolverse de forma favorable. Pero ¿qué ocurre cuando alguien desea, lisa y llanamente, cambiar su nombre o su apellido, porque no le gusta o por cualquier otra razón que desee? Aquí empiezan las dificultades, pues el artículo 57 de la Ley de Registro Civil establece claramente que sólo podrán hacerse cambios de este tipo en los siguientes supuestos:

• Cuando el apellido en la forma propuesta constituya una situación de hecho no creada por el interesado. Esto comprende los casos de sobrenombres muy arraigados.

• Cuando el apellido o apellidos que se trata de unir o modificar pertenezcan legítimamente al peticionario. Se refiere al caso en que se deseen unir dos apellidos, por ejemplo para evitar su pérdida. El actor Fernando Rey se llamaba en realidad Fernando Casado Arambillet, pero Rey era el apellido de una abuela suya.

• Cuando provenga de la línea correspondiente al apellido que se trata de alterar. No valen, por tanto, los relativos a una línea colateral.

En estos supuestos (y alguno más de poca importancia) se requiere, en todo caso, que exista «justa causa» y «no se perjudique a terceros», por ejemplo, por intrusión en su campo genealógico.

La inversión de apellidos

Un caso particular del cambio de nombre es la inversión de los apellidos, que, en comparación, resulta muy sencilla.

La ley española permite hacerlo, opción a la que se han acogido muchas personas. Incluso en tiempos pasados no era imposible hacerlo, pero se reservaba a unas poquísimas excepciones: el caso más notorio se dio con el nieto del dictador Francisco Franco, que fue inscrito al nacer, en 1954, con el apellido materno en primer lugar por real decreto.

El cambio puede resultar muy práctico cuando el primer apellido es muy corriente; de hecho, era ya habitual, antes de la aparición de la ley correspondiente, designar a la persona por el segundo. Tenemos un buen ejemplo en el presidente del Gobierno, José Luis Rodríguez Zapatero, que es conocido simplemente como Zapatero.

Mala pata

El señor Cabrafiga Galí, de Figueras (Gerona), se sentía incómodo con su primer apellido. Tras una serie de gestiones burocráticas consiguió invertir el orden de sus apellidos (en aquellos años no era tan fácil como ahora). Lo malo es que su hijo se ha casado recientemente con una señorita apellidada Matías. ¿Cómo se llamará el nieto?

Con todo, muchas personas que se han acogido a esta posibilidad han lamentado no poder dar marcha atrás (la ley lo prohíbe) ante los problemas del continuo «antes me llamaba» con que se han tropezado, desde las cuentas bancarias a la renovación del carné de identidad, pasaportes, títulos universitarios, escrituras de propiedad y toda clase de documentación.

Nombres familiares

Muchas familias toman como seña de identidad un nombre de pila que se repite regularmente entre sus componentes. Otras establecen una rotación entre dos o más nombres para evitar las confusiones familiares de un padre y un hijo con el mismo nombre. Conocemos casos de familias en las que el nombre de Leopoldo o Simón constituyen un sello de identidad. En otras, se suceden los de Juan y José rítmicamente.

Esto se lleva hasta tal extremo que es frecuente dar a un hermano el nombre de otro fallecido, como proyección hacia el futuro de una voluntad vanamente frustrada por la muerte. No se sabe qué pensará el hijo al ver en una lápida su propio nombre, si se sentirá sustituto de alguien o creerá que su presencia sólo está justificada por la muerte de aquel.

El hermano mayor de Dalí, también llamado Salvador y nacido en el año 1901, había muerto de gastroenteritis unos nueve meses antes de que naciera el pintor. Con cinco años de edad, los padres del segundo Salvador lo llevaron a la tumba de su hermano y le dijeron que era su reencarnación, idea que él llegó a creer. Es posible que este trauma infantil explique muchas de las rarezas del genial pintor.

Sea como fuere, la Ley de Registro Civil recoge y limita esta costumbre, prohibiendo dar el nombre de un hermano a otro a menos que haya fallecido. A veces se burla la ley imponiendo a uno Jorge y al otro Jürgen (su equivalente en alemán), y hemos conocido hermanas que se llamaban Elisabet y Elisenda, respectivamente (en realidad, el segundo es una variante medieval del primero), o Sara y Saray (en el Antiguo Testamento, Saray, esposa de Abraham, cambió su nombre por Sara, a instancias de Yahvé, así que son equivalentes).

El ocaso de los nombres tradicionales

Las costumbres en el momento del nacimiento siguen siendo uno de los factores más tenidos en cuenta a la hora de elegir nombre. Por algún motivo, en un momento dado, ciertos nombres empiezan a «sonar» bien, y cuanto más adoptados y difundidos son en virtud de esa eufonía, más adeptos ganan. En España permanecieron inamovibles durante siglos Juan, Pedro o Antonio, entre los hombres, y Sara, Mariana o Isabel, entre las mujeres. A partir del siglo pasado, José y María fueron ganando terreno y acabaron desbancando a todos los demás. Y ahora estos, a su vez, se han visto destronados por David, Sergio o Vanessa.

Nombres de hijos de famosos

Michael Douglas y Catherine Zeta-Jones apostaron por una Zeta para su futuro bebé. En España, Jorge Sanz se apuntó a que su hijo se llamara Merlín. Son ya antiguos los Zeus y Thais de Sara Montiel. Chamaco tiene una hija llamada Manía.

El origen de esta moda se remonta a David Bowie, quien impuso a su heredero el nombre de Zowie, y a Frank Zappa, que llamó a sus descendientes Moon Unit, Dweezil y Ahmet Emuukha Rodan. Cher y su marido, Sonny, estuvieron también a la altura al escoger Chastity Sun y Elijah Blue para sus hijos. Tom Cruise y Katie Holmes han impuesto Suri a su hija.

En nombres poco comunes son expertos David y Victoria Beckham: Brooklyn, Romeo y Cruz son sus tres vástagos. Pero para original, el nombre del hijo del actor Jason Lee, que se llama Pilot Inspektor.

Extraños, aunque mucho menos excéntricos, son Dakota, nombre de la hija de Melanie Griffith y Don Johnson; y Clementine y Casper, los hijos de Claudia Schiffer.

Pero lo que fue una extravagancia se ha transformado en un boom. Quizá la más original haya sido Paula Yates, que nombró Fifi Trixibelle, Peaches Honeyblossom y Pixie a las hijas que tuvo con Bob Geldof; y Tiger Lily, al fruto de su unión con Michael Hutchence.

Hay tendencias geográficas. Quincy Jones y Nastassa Kinski pusieron a su niña Kenya Julia Miambi Sarah. Bono impuso a

(Continúa)

la suya Memphis Eve (el niño se llama Elijah Bob Patricius
Guggi). Alec Baldwin y Kim Bassinger se perpetúan en Ireland
Eliesse. Pierce Brosnan tiene a Paris Beckett. Mel B., a Phoenix
Chi. Harry Connick Jr., a Georgia Tatomy. Y el ya citado matri-
monio Beckham, a Brooklyn Joseph, en honor al barrio donde
fue concebido.

En ciertos ambientes, Antonia era un nombre bien visto y «natu-ral», fortalecido por las modas reales (Marie-Antoinette, reina de Francia), pero hoy ha desaparecido de los ambientes capitalinos, que prefieren la eufonía de nombres escritos mayoritariamente con *a*, como Sandra, Carla o Ariadna.

En los años de posguerra abundaban los nombres que de alguna manera transmitían la idea de héroes de novela o película: Roberto, Alberto, Federico, Gerardo, Guillermo entre los varones; y entre las mujeres, Ana María, Rosario, además de los netamente religiosos: Visitación, Amparo, Consuelo. Todos estos nombres juegan hoy un papel secundario.

Los nombres «tradicionales» están en retroceso (lo que no significa en extinción), y se abren paso otros nuevos, lo que constituye un hecho en principio positivo, pues se tiende a restituir el valor identificador de cada nombre, debilitado por la omnipresencia de Josés, Juanes o Marías.

Nombres de celebridades

La aparición de una celebridad siempre lleva consigo una vasta red de imitadores. ¿Quién no recuerda la famosa serie de dibujos animados sobre Heidi, hipocorístico de Adelaida (Adalheidis en alemán), de los años setenta del siglo pasado? Fueron incontables las Heidi o Davinia (otra serie) surgidas al calor del momento, y la fiebre sigue dándose con los actores o actrices de moda.

Inconvenientes de ser tocayos de famosos

En Madrid viven varios Felipe González; en Barcelona, al menos un Francisco Franco y bastantes Jordi Pujol. Todos ellos están habituados a recibir bromas telefónicas. Un Ramón Mendoza, ferviente hincha del Barça, debe soportar resignadamente las chanzas de sus compañeros. A veces se puede sacar alguna ventajilla de estas homonimias: Juan Tenorio, de Reus, recuerda que en el servicio militar, como a los dos días todo el mundo conocía su nombre, le nombraron cabo primero.

En un programa de televisión de la cadena Antena 3, emitido el día 9 de febrero de 1996, se consiguió reunir a un gran número de personajes homónimos de famosos: allí había un Julio Iglesias, un Felipe González, una Carmen Sevilla, una Marta Sánchez e incluso una Isabel Gemio, nombre de la presentadora.

Pero los inconvenientes de ser colombroño —tocayo— de alguien pueden llegar más lejos: la prensa informó en 1986 del caso de Francisco López Hernández, de Barcelona, a quien embargaron su coche por las multas impagadas de un exacto tocayo suyo. Ignoramos si nuestro desafortunado automovilista consiguió convencer finalmente al banco embargante de que, como en la célebre película de Luis Sandrini, «la culpa la tuvo el otro». Más tarde, en otro programa, también emitido por Antena 3 el día 29 de junio de 1999, coincidieron más tocayos de populares. Allí estaban unos duplicados de Teresa de Jesús, José María Carrascal, María Teresa Campos, Rocío Jurado (por cierto, su madre se llamaba Juanita Reina).

En España conoce una curiosa popularidad Kevin, inspirado en los actores Kevin Costner, Kevin Spacey y Kevin Bacon. ¡Ha llegado a estar situado en el cuadragésimo lugar, muy por delante de nombres tradicionales como Ramón o Matías! Y abundan los Brad (Pitt), Angelina

(Jolie)..., por no hablar de los miembros de la familia real, que han incrementado el número de Sofías, Cristinas y Elenas.

Famosos con nombres singulares

Joan Brossa (cat. «basura»)	Poeta catalán
Isabel Tocino	Política española
Miguel Burro Fleta	Cantante
Teresa Borrego Campos (Terelu Campos)	Presentadora de televisión
M.ª Fernanda Ladrón de Guevara	Actriz
Baltasar Porcel (cat. porcell, «puerquito»)	Escritor mallorquín
Álvar Núñez Cabeza de Vaca	Explorador (s. XVI)
Eugeni Gay	Abogado barcelonés, presidente del Consejo General de la Abogacía
Alejandro Alejandrovich Alekhine	Campeón mundial de ajedrez, de 1927 a 1935
Plácido Domingo	Tenor
Ángel Cristo	Domador
Cicerón («verruga»)	Orador romano
Claudio («cojo»)	Emperador romano
Pere Quart («Pedro Cuarto» seudónimo de Joan Oliver)	Escritor catalán
Ángel Colom Colom («paloma»)	Político catalán

En la zarzuela Agua, azucarillos y aguardiente la remilgada protagonista se llama Asia. ¿Qué cosa más natural, existiendo ya los nombres África y América? Sin embargo, su verdadero nombre es Eufrasia, acortado por sentido estético.

(Continúa)

En el invierno de 1937-1938, el mando nacionalista tenía una poderosa sección de información dirigida por el coronel José Ungría, huido de la capital de España al empezar la guerra. Este coordinó en noviembre de 1937 las acciones de los distintos servicios de información, los quintacolumnistas y agentes del exterior en una sola organización, conocida como Servicio de Información Militar (SIM). A su vez, el servicio de información de la República era dirigido por el coronel Domingo Hungría, de apellido sorprendentemente similar, que mandaba en el 14.º cuerpo del ejército de guerrilleros.

Sería impropio de un científico llamar con su nombre un descubrimiento. Así, cuando el químico francés Paul Emile Lecoq de Boisbaudran descubrió un nuevo elemento en 1847, lo llamó galio, por Gallia, el nombre latino de la actual Francia. Sin embargo, le coq es «el gallo» en francés, y gallus es «gallo» en latín. Al menos existe la sospecha de que Lecoq de Boisbaudran estaba haciendo un poco de cacareo en su provecho.

En Juneda (Lérida) un habitante llamado Asterio está casado con una Asteria. Ambos proceden de distintos puntos de España, sin relación previa.

Amalio de Marichalar, hermano de Jaime, conde de Ripalda, está casado con Amalia del Corral. Su hijo, inevitablemente, se llama Amalio.

Los nombres más largos que hemos hallado son Deoscopi-desempérides, Malabandoaurinoandiquinostres y Tesaurocriso-nicocrisides; significan, respectivamente, «el que se complace eternamente en la contemplación de Dios», «el hombre de oro que se opone al mal por nosotros» y «tesoro victorioso y dorado».

El gran peligro de la moda es que puede «fechar» al niño, pues es un fenómeno comprobado que un nombre deja de ser usado en cuanto el público se da cuenta de que está «demasiado de moda». ¡Cuidado! Muchos de los portadores de estos nombres, aparte de vivir la incómoda experiencia de tener varios tocayos suyos en el colegio, deberán explicar dentro de treinta años quién era el célebre actor estadounidense y por qué sus películas motivaron tal fervor. Nombres como Cristián, David, Sergio, Vanessa y similares han conocido popularidades fulminantes, explicables casi siempre por su eufonía, que encajaba con el gusto del momento. Y su uso ha marcado unas generaciones que innegablemente quedarán asociadas a ellos.

¿Cómo se llamaba la mujer de Sancho Panza?

Si en la Biblia abundan las innominadas, en otras obras también muy leídas están las hipernominadas. Sin duda, Cervantes no anduvo muy preocupado con la consorte del escudero de Don Quijote, porque la menciona con varios nombres: Juana Gutiérrez y Mari Gutiérrez, en la primera parte, y Teresa Panza, en la segunda.

Con todo, la moda sufre extraños resurgimientos, y algunos nombres antaño desaparecidos vuelven a estar en boga, a veces quizá como reacción a su abandono. Es el caso de María a secas, sin complementos, que muchos recuperan hoy sin otra razón que oponerse a su decadencia, imparable durante muchos años.

Los nombres dobles

Se trata de una costumbre importada de Francia, donde la ley permite hasta cinco nombres de pila. Se impuso entre nosotros más moderadamente como reacción contra la concentración de excesivos Josés, Juanes, Marías, Cármenes y otros patronímicos ya casi carentes de valor informativo.

Ni siquiera las coronas o el papado han podido resistirse a la moda: empezó en el siglo XIX con el rey francés Luis Felipe, que con su nombre doble quiso significar que empezaba un nuevo periodo de la monarquía. El ejemplo ha sido retomado por nuestro actual Juan Carlos. En el Vaticano son bien conocidos los últimos Juan Pablo.

Según las estadísticas de los nombres masculinos más impuestos en el año 2007, nada menos que veinte de los cien primeros eran compuestos; entre los de mujeres el caso es todavía más extremo: veinticinco. Estos son los respectivos *rankings*:

7	*José Antonio*		1	*María Carmen*
11	*Francisco Javier*		6	*María Dolores*
17	*José Manuel*		7	*María Pilar*
19	*Miguel Ángel*		8	*Ana María*
28	*Juan Carlos*		9	*María Teresa*
29	*Juan José*		15	*María Ángeles*
33	*Juan Antonio*		17	*María José*
42	*Juan Manuel*		18	*María Isabel*
50	*Francisco José*		22	*María Luisa*
65	*José Miguel*		30	*María Jesús*
66	*José Ramón*		32	*Rosa María*
78	*Juan Francisco*		52	*María Josefa*
80	*José Carlos*		58	*María Rosario*
84	*José Ignacio*		63	*María Mercedes*
85	*José Ángel*		64	*Ana Isabel*
88	*Víctor Manuel*		69	*María Rosa*
89	*Luis Miguel*		72	*María Victoria*
92	*José Francisco*		73	*María Concepción*
93	*Juan Luis*		74	*María Antonia*
100	*Antonio José*		79	*Ana Belén*
			80	*Eva María*
			82	*María Elena*
			84	*María Nieves*
			96	*María Soledad*
			97	*María Luz*

Conviene observar que en siete de esos veinte nombres de varones el primer componente es José y, entre las mujeres, de los veinticinco, en veinte casos es María.

La Ley de Registro Civil autoriza a inscribir un nombre compuesto, contando como tal, si es el caso, el de algún personaje distinguido por él, como Francisco de Asís o María de las Mercedes. Pero no más. Se hizo famoso en su día el contencioso mantenido contra la Administración por un padre que quería imponer a su hija Ángeles Ana María, considerando que Ana María era ya de por sí, de tan corriente, un solo nombre.

Hay que advertir que, a efectos legales, el nombre compuesto es un todo inseparable, de manera que las María del Carmen, que a menudo simplifican su nombre a Carmen, no podrán hacerlo en documentos oficiales.

Este problema no es tan tonto como parece: conocemos una Elisabeth Alicia que se vio obligada a instar su cambio en el registro civil a Elisabeth simplemente por la desazón que le imponía tener que cargar continuamente con el nombre de Alicia.

Añadamos que la moda está en declive, como lógica consecuencia de la mayor originalidad onomástica que se registra últimamente y que ha hecho entrar en decadencia esta costumbre.

La excepción la constituyen los países hispanoamericanos, donde la fantasía desplegada en combinaciones exóticas supera toda imaginación: Alberto Mauricio, Carlos Alfredo, Carlos Eugenio, Daniel Ricardo, Diego Armando, Domingo Esteban, Mario Raúl, Óscar Sebastián e infinitos más.

Nombres mixtos

Una salida para la imaginación ha sido combinar dos nombres distintos para formar uno nuevo. El recurso es frecuente, una vez más, en los países hispanoamericanos (recordemos a la actriz Analía Gadé), pero mucho menos socorrido entre nosotros. Con todo, podemos citar algunos ejemplos:

Alvarando (Álvaro + Fernando)
Analía (Ana + Lía)
Carlana (Carla + Ana)
Caroliz (Carla + Beatriz)
Guilléctor (Guillermo + Héctor)
Lauría (Laura + María)
Lidiana (Lidia + Ana)
Mariana (María + Ana)
Márica (María + Mónica)
Marinés (María + Inés)

Martana (Marta + Ana)
Maurelio (Mauro + Aurelio)
Mirelia (Mireya + Julia)
Rosalba (Rosa + Alba)
Rosáurea (Rosa + Áurea)
Rosilda (Rosa + Hilda)
Sandrit (Sandra + Judit)
Sílviam (Silvia + Míriam)
Sonina (Sonia + Carolina)
Zaidisa (Zaida + Denisa)

Nombres en Cuba

La moda de los nombres raros en los niños cubanos no es nueva, pero se ha generalizado de tal forma que resulta casi imposible encontrar un nativo en la isla que se llame José, Pedro o Juan, o una María, Josefa o Marta. Hace 40 años era fácil encontrar a una menor en la parte oriental de Cuba con el nombre Usnavy, que tenía su origen en que sus padres, residentes en Guantánamo, veían entrar en la base norteamericana buques de guerra en cuya proa se leía U. S. Navy. Pero ese nombre con el tiempo y la moda fue pasado por herencia a su primogénito, en su caso una niña, con ajustes fonéticos al castellano: Yuisneivi, que actualmente llevan algunos cubanos sin que quizá sus padres conozcan cuál es su origen.

Antes de 1959, estando Cuba bajo la influencia de Estados Unidos, no eran raros los nombres en inglés, pese a que estuviera prohibido por las leyes de entonces, y a muchos registrados como Pedro, Tomás y Rosa María se les conocía como Peter, Tom o Rose Mary. Luego, cuando se estrecharon relaciones con la Unión Soviética y los países del este, los papás se inclinaron por nuevos nombres para sus vástagos, y uno de los primeros y más populares fue Yuri, en homenaje al primer cosmonauta.

(Continúa)

Después siguieron los Liuba, Tamara, Grisha, Alexei y otros muchos como Pavel, por otro astronauta, y Michael cuando el primer Manley ganó las primeras elecciones en Jamaica, situada a 50 km escasos de Santiago de Cuba.

La imaginación de los padres cubanos actualmente llega a extremos insospechados. En cualquier lista de alumnos, deportistas e incluso profesionales, una cuarta parte pertenece a la nueva ola de nombres raros y el resto, a tradicionales, pero no en la línea de aquellos de la primera mitad de siglo, como Hermenegildo, Nicomedes, Nicasia o Eduvigis. Los padres, en su búsqueda continua de poner a sus hijos nombres leídos al revés o combinaciones de las primeras sílabas de los que llevan los progenitores, pusieron de moda Narmis, para las niñas, cuya madre, Mirna, hizo una variante del suyo, o Anpa (así, con n antes de p), fusión de An, de Ana (la madre), y Pa, de Pablo (el padre) (ABC, 4 de diciembre de 1996).

(Nota: Añadamos al célebre niño balsero Elián, hijo de Elisabet y Andrés).

Nombres de fantasía

En España se da poco el nombre de fantasía, pero en Sudamérica es muy frecuente. Sea la fervorosa piedad de los padres, que desean perpetuar pasajes del Evangelio o de la vida sacra en general, sean alusiones a circunstancias del nacimiento o asociaciones difíciles de concretar, encontramos extraños apelativos cuyo significado casi siempre se nos escapa. Su análisis debe volvernos cautos a la hora de interpretar otros aparentemente más transparentes. Aun en el caso de los ponderados griegos se hace difícil traducir una combinación de elementos tan incongruentes como la que constituye Hipólito (*hippolithos*, «caballo-piedra»), por lo que algunos prefieren remitirlo a Hippolyte, «fatigado, lacerado», y otros, fantaseando, llegan a interpretar «el que afloja las riendas del caballo», es decir, «guerrero ecuestre, soldado de caballería». Ciertos nombres pudieron poseer un significado diáfano para quien los impuso, como el piadoso párroco santanderino autor de Cinco Llagas; para él e incluso para nosotros la alusión a Cristo es evidente, pero ¿qué dirá de ello un esquimal ajeno a nuestra religión dentro de mil años? ¿Y quién podría decirnos qué tuvo en mientes el que bautizó Hastamorir a su hijo?

Concursos de televisión

En Hispanoamérica abundan los registros de nombres curiosos. En 1988 la Televisión de Bogotá organizó el concurso «El nombre sin tocayo», cuyo objetivo era localizar los nombres más extraños del país. Concurrieron 250 aspirantes, con nombres como Fosílides, Jeyllylu, Mislistón, Estabiojeno... El vencedor fue Nibolita Jiménez, que compartió podio con Biscatrono Buitrago y Diotesario Delgado.

La transcripción de esos nombres haría corta la hipérbole de San Juan: tantos libros no cabrían, no ya en el mundo, siquiera en el universo. Daremos, como muestra, unos cuantos, y que cada cual intente imaginarse la historia ad hoc para cada uno.

Aellos
Amante-del-Niño-Jesús
Amén
Antigüedad
Avemaría
Barrabasín
Cascarrabias
Catorce Estaciones
Cielo-en-la-Tierra

(Continúa)

Cinco Llagas
Degollado
Del-Espíritu-Santo
Devotamente
Dios-Ayuda-Siempre
Entralgo
Fiel-hasta-Morir
Gran Mamador
Horcajadas
Huyó
Irá-al-Cielo
Matador
Multiplicación-del-Pan-y-los-Peces
Nacido-de-Pie
No
Once Mil
Padrenuestro
Rey-de-la-Casa
Será-de-Comunión-Diaria
Vives-Gracias-al-Amor-de-Jesucristo
Yo
Yotuel

Nombres exóticos

La imaginación no para de trabajar, y así aparecen multitud de nombres creados tanto en un momento de inspiración como en una noche de insomnio.

Hemos recopilado unos cuantos al azar; muchos de ellos son totalmente inventados, y no siempre con imaginación.

Aparecen en las listas de internet, en la calle en el momento menos pensado… y en los registros civiles.

Sólo nos queda recomendar prudencia en su uso; nos limitamos a hacer constar su existencia.

Nombres masculinos exóticos

Alerub	Avery	Horam	Palokio
Anyuri	Avi	Houk	Persk
Arnaud	Avigdor	Humin	Quar
Arndt	Avilio	Huy	Rambol
Arne	Aviv	Janum	Rasek
Arnie	Ayrampu	Jaumy	Rikko
Arnon	Ayrton	Jukil	Rosidio
Aron	Ayun	Kair	Saian
Arshak	Ballek	Konsino	Sanuy
Art	Burm	Kustonio	Sokrat
Aruni	Camul	Lesmon	Sumaro
Arvid	Capdo	Many	Tantil
Ary	Comaro	Mei	Tanulu
Ashtar	Deray	Minu	Ubal
Ashur	Driol	Monom	Uman
Atherton	Eidan	Morinio	Ustark
Atieh	Ermag	Munay	Vixón
Attar	Fokres	Nahier	Warik
Atuel	Furgom	Naike	Waru
Aubino	Gínjol	Naiz	Wilfar
Aucan	Grafty	Nut	Xumín
Auden	Guelm	Olam	Yak
Audun	Guermau	Orzom	Yotuel
Auki	Hamun	Osnirio	Zac
Aunario	Hiloh	Padel	Zoman

Nombres femeninos exóticos

Aileen	Bilizia	Mais	Sargity
Arneris	Casty	Masinia	Strania
Aruanda	Citaria	Menia	Summin
Aruna	Daira	Milenka	Témpura

(Continúa)

Atifa	Deidania	Mireli	Topanga
Auberta	Dromboly	Monnia	Topazina
Audra	Durgis	Monny	Ulaya
Aurek	Elideth	Murina	Umona
Auri	Erviny	Namur	Uranila
Auxtina	Finis	Naragy	Usmenia
Avena	Giakenna	Nayeli	Usmordina
Avital	Gravia	Nayoka	Vanina
Aviva	Guery	Nayonia	Vesrita
Ayame	Huia	Niya	Watidia
Ayelen	Hupitia	Odety	Ximita
Ayen	Idaira	Palina	Xolania
Ayesa	Jessena	Paulenia	Yanuria
Ayita	Jinslinia	Pergal	Yanuzia
Ayla	Keila	Perizia	Yasna
Ayoka	Kily	Pisidia	Ysra
Ayren	Kimarty	Prefinia	Yukie
Ayumi	Korkilda	Quria	Yumaila
Azalea	Letania	Rikenia	Zama
Azalia	Lirimia	Rosmarina	Zisty
Beburgis	Lumen	Rubenita	Zonia

Asociaciones con clases sociales

Es un hecho que ciertos nombres evocan clases sociales determinadas. Nombres como Demetrio, Matías, Rita, Manuela o Ricarda tienen su vivero natural en las clases trabajadoras, vinculadas a los hábitos onomásticos del medio rural, sitio de su más frecuente extracción. En cambio, otros apelativos invocan nombres utilizados por clases pudientes. En la posguerra, José Antonio, Francisco, Juan Bautista, Pilar o Carmen eran asociados a la clase política y social dominante. Hoy las tornas se han cambiado, por influencia de las revistas del corazón, hacia Juan Carlos, César, Jorge, Sofía, Isabel, Tamara y otros.

Nombres uruguayos

La extraña conjunción de costumbres y tradiciones de los emigrantes hispanos e italianos, sumada a las denominaciones, al fervor político y, muchas veces, a la ignorancia, ha favorecido en Uruguay una extraña lista de nombres de personas, que difícilmente se pueda encontrar en otro país. La revista Tres *de Montevideo hizo esta semana un resumen de nombres extraños, obtenida de registros o testimonios de funcionarios. Otras investigaciones recuerdan que en Uruguay se inscribió a principios de siglo a una persona con el nombre de Abranse los Tribunales, porque tuvo la mala suerte de nacer un día en que finalizaba la Feria Judicial y su padre al consultar el almanaque para ver el «santo que traía» creyó que la apertura de juzgados era algún augurio religioso. Esa costumbre no ha hecho más que crear otras confusiones, como bautizar a los hijos como Luna Llena o cambiar al femenino un nombre varonil. Así, doña Pedrolina Zagarzazú llevó desde aquel lejano 29 de junio de 1919 el estigma de haber nacido el día de San Pedro, lo mismo que Mónico de los Santos, que vio la luz el día de la santa de la Música* (ABC, 16 de julio de 1996).

Por alguna razón, en los filmes se eligen nombres como Bautista, Gastón o Ambrosio para chóferes o mayordomos, y esta asociación permanece en el subconsciente. Lo mismo ocurre con Tomasa o Petra. En cambio, Alejandro, Álvaro o Sergio, o los femeninos Angelina, Paulina o Carolina «suenan» a señora de la casa.

En los primeros tiempos de la moda fulgurante de David, que tantos años ha durado, los abuelos de una familia que conocemos rehusaban este nombre por asociarlo con un indigente tocayo de su pueblo de procedencia. Sugerían, como mucho más bonito, Robustiano, nombre del cacique local.

Honduras y sus nombres

En el registro civil de Honduras figuran como nacidos en el país personas con nombres de pila como Ronald Reagan, Richard Nixon y Adolfo Hitler. Tan insólito suceso es común en las zonas oriental y occidental de Honduras porque sus habitantes, analfabetos en su mayoría, bautizan a sus hijos con nombres de personas famosas, de animales o de cosas que les suenan bien. Además de personajes como Reagan, Nixon y Hitler, en el registro civil hondureño figuran nombres como Semen de Jesús, Mojón negro, Ano, Aeropagita, Protóculo, Belloidilio, Linda Catrina, Carolimpio o Ninfa del amor. La jefa del registro civil explicó que, pese a que los funcionarios advierten a los padres de familia de que cometen un error al inscribir un hijo con el nombre que más les guste, es imposible impedirlo porque no hay ninguna ley que lo prohíba. En la zona de la Mosquitia algunos adultos incluso se cambian el nombre cuando se enteran de otro que les llama la atención como, por ejemplo, Avión DC-3, o Aeropuerto, Fusil, Cámara o Hércules C-13 (ABC, 12 de mayo de 1989).

Eufonía

En realidad, este es el único factor que se tiene en cuenta en muchas ocasiones. Nombres como Alberto, Carlos o Ricardo son considerados como biensonantes, pero los situados en rincones de santoral, cono Arquipo, Telesforo o Remigio, suelen provocar un comentario de desagrado en los padres. En realidad, el sentimiento de eufonía o cacofonía es netamente subjetivo: nombres como Elías, Sebastián, Narciso y Eugenio sonarán «bien» en ciertos medios urbanos, que los hubieran rechazado hace medio siglo por cacofónicos. Marcelino, Laureano,

Transfiguración y Ramona, «biensonantes» en aquella época, provocan hoy un rictus de desaprobación. La búsqueda a toda costa de efectos eufónicos lleva a saqueos sistemáticos de los libros. El *Diccionario de nombres de persona*,[3] donde se registran unas 7000 entradas, fue recorrido de cabo a rabo por un inquieto padre, quien me manifestó no haber encontrado ninguno que le gustara. Y es que los hay difíciles...

Por ello tienen marcadas preferencias nombres con consonantes no presentes habitualmente en nuestra lengua, y eso explica el éxito de muchos nombres extranjeros. Alexandre, Aitor, Nil, Genís, Julen, para niños, o Mónica, Georgina, Meritxell, Tamara, Erika para niñas son algunos entre los miles de ejemplos de «grato sonido», circunstancia que prima a menudo sobre cualquier otra consideración.

Hay que señalar que la eufonía no debe limitarse de ninguna manera sólo al nombre, sino que hay que examinar la combinación con los apellidos. Las reglas son:

• Un nombre corto, en general, combinará mejor con un apellido largo, y viceversa, aunque las excepciones pueden ser numerosas. El campeón de *cyclo-cross* catalán de 1986 se llamaba Ot Pi, mínima expresión de un nombre, intencionadamente buscada. Pero, en general, será más aconsejable, ante la presencia de apellidos extremos, rehusar los juegos de ingenio y evitar los comentarios que un nombre demasiado «original» sin duda suscitaría. Un apellido Hartzenbusch pude combinar bien con nombres exóticos como Diógenes o Kevin, pero uno más corriente como Sala sonará forzado con nombres demasiado exóticos.

• Cuidemos también el enlace entre nombre y apellido: un Jaime Menéndez resultará cacofónico, como una Rosario Rodríguez. Hay que evitar las rimas y reiteraciones: nada de Ana Santana o Ramón Marimón. Si el apellido contiene un exceso de vocales de una clase, se ha de compensar: no impondremos Odón a alguien que se apellida Albornoz, ni Carla a la que lleva el apellido Calatrava. Se debe huir de combinaciones como Nabucodonosor Pérez o Romualda de las Altas Torres.

---

3. JOSEP M. ALBAIGÈS I OLIVART, *Diccionario de los nombres de persona*, Universidad de Barcelona. Publicaciones y Ediciones, Barcelona, 1984.

• También hay que evitar la tentación de efectuar combinaciones fantasiosas entre nombre y apellidos. Se habla de un Alegre Alegret Alegría, y hemos conocido personalmente a un Martín Martín Martín, un Pedro Pérez Pérez y una Montserrat Montserrat Montserrat. Tales combinaciones son divertidas para ser citadas como curiosidad en una sobremesa, pero otra cosa muy distinta es tener que acarrearlas toda la vida. Una persona no debe ser nunca un chiste ni una rareza. Pensemos que quizá nuestro hijo acabe maldiciendo el fecundo ingenio de sus padres.

• Atención a la ortografía. Muchos nombres pueden ser escritos de formas muy distintas: Míriam, Myriam, Miryam. Lo más aconsejable es documentarse primero sobre las gramaticalmente correctas, y eliminar las demás, que no harán más que complicar la vida de nuestro hijo cuando haya que escribir su nombre. Dentro de las formas correctas, son siempre preferibles las más simples. De nada sirve escribir Elizabeth o Elisabeth en lugar de Elisabet. Y, desde luego, nada de grafías fantasiosas y ortográficamente disparatadas como Hedgar por Edgar o Myrian por Míriam, que pondrán en duda el nivel cultural de los padres, sin que valga la fácil excusa de «A mí me gusta esta forma».

• Hay que anticiparse a los comentarios jocosos que pueden provocar ciertos nombres. Felicísimo, Amado, Bella, Amor, Perfecto y Prudencia son nombres muy dignos, pero pueden motivar burlas en el colegio. Pensemos que cualquier asociación ridiculizante a la que se preste el nombre será descubierta y utilizada sin piedad por los compañeros de nuestro hijo. Y nosotros no deseamos que pase malos ratos si podemos evitárselos...

Gemelos

Tratándose de hermanos gemelos, las tentaciones para la originalidad se multiplican. A los aficionados al mundo clásico los primeros nombres que se les ocurren son Cástor y Pólux; también sirven Héctor y Paris, todos ellos de la mitología griega. Los aficionados a la literatura contemporánea elegirán Arthur y Jeremías, por los hermanos de *El cas-*

tillo, de Kafka. Otros se inspirarán en la historia, eligiendo parejas de nombres, no de hermanos, pero asociados: Eiffel y Pisa (las torres más famosas del mundo), Harut y Marut (ángeles mencionados en el Corán), Leovigilda y Hermenegilda (personajes de tebeo), Manolete y Arruza (personajes del mundo de los toros), Thelma y Louise (protagonistas de una película feminista)... Los revolucionarios pueden optar por Hoz y Martillo (en ruso, Serp y Molo). Por último, si los gemelos son de distinto sexo, hay infinidad de recursos: Juan e Inés, Larra y Dolores, Alfredo y Violeta, Calisto y Melibea...

Ortografía de los nombres de persona

¿Hay que escribir Elisabet o Elisabeth? ¿Ingeborg, Ingeburga o Ingueburgia? ¿Christian o Cristián? He aquí una cuestión compleja, agravada en los últimos tiempos por la aparición de antropónimos exóticos.

No podemos olvidar que una palabra es, ante todo, un fenómeno fonético, y por ello, en otros tiempos de mayor preponderancia de la cultura hablada frente a la escrita, resultó lógico eliminar haches, añadir úes mudas, etc. Así se daban los pasos de Elisabeth a Elisabet, de Ingeborg a Ingeburga, etc.

Sin embargo, hoy la cosa no es tan sencilla. El actual aumento del nivel cultural ha traído consigo una progresiva internacionalización, gracias a un mayor conocimiento de las lenguas extranjeras, y resulta cada vez más pintoresco mantener grafías «propias», especialmente para fenómenos de alcance universal como pueden ser determinados antropónimos. En el campo de los topónimos la transición es ya total, y en los atlas se escriben siempre en su lengua original. ¿Quién sabía, hace unos años, que Köln es Colonia o Wien, Viena?

Esta tendencia a escribir la forma original se está empezando a dar también en los antropónimos, y quizá sea totalmente habitual dentro de un siglo. Es decir, que no hay una respuesta clara para la pregunta formulada más arriba. Podríamos limitarnos a decir que cuanto más nos aproximemos a la grafía original de un nombre, más avanzaremos en dirección al futuro. De hecho, las últimas disposiciones de la Ley de

¡Guerra a los acentos y las tildes!

Un nuevo peligro se abate sobre los nostálgicos de la lengua: tras la supresión de la ch y la ll como letras (son dígrafos), la tilde (o virgulilla) de la ñ se tambalea, pese a los intentos de imponer esta letra en los ordenadores vendidos en España.

En el campo de la onomástica, el caso es más grave de lo que parece. Cualquier Ibáñez ha recibido alguna comunicación oficial en la que su nombre ha sido transformado, por un ordenador inexperto, en IBA#EZ o IBA/EZ (las mayúsculas siguen ahorrándose también el acento, por más que la Real Academia se desgañite insistiendo en que también con ellos deben ser escritas). Y no hablemos de otras lenguas, plagadas de diéresis o letras especiales, que el ordenador aproxima a la más cercana.

Esto tiene sus consecuencias. El holandés Richard Gütlich, que vio cómo su hermano era enterrado sin el Umlaut (diéresis), ha fundado una asociación para pleitear contra la Administración por estos abusos.

En Alemania, puede sustituirse la ö por oe, cosa que hacen algunos funcionarios por iniciativa propia, pero esto movió al señor Hör en la lista alfabética, con lo que tuvo problemas para cobrar su pensión.

Registro Civil van en esa dirección al permitir la inscripción de nombres de pila bajo la forma deseada por los padres.

Esta práctica se presta a abusos, debidos generalmente a la ignorancia, y así el registro civil, en virtud de la reciente ley liberalizadora de las formas de los nombres, admite formas que son puras barbaridades ortográficas, y que no citamos en este libro para no avergonzar a sus portadores.

¿El título es un nombre?

Desde luego lo es en cuanto forma parte del «rótulo identificativo» de la persona. Otra cosa es que se use o que esté o no reconocido legalmente.

Estos son los títulos del rey Juan Carlos I:

Su Majestad Don Juan Carlos I de Borbón y Borbón, Rey Constitucional de España.

Rey de Castilla, de León, de Aragón, de las Dos Sicilias, de Jerusalén, de Navarra, de Granada, de Toledo, de Valencia, de Galicia, de Cerdeña, de Córdoba, de Córcega, de Murcia, de Jaén, de los Algarves, de Algeciras, de Gibraltar, de las Islas Canarias, de las Indias Orientales y Occidentales, de las Islas y Tierra Firme del Mar Océano.

Archiduque de Austria.

Duque de Borgoña, de Brabante, de Milán, de Atenas y Neopatria.

Conde de Habsburgo, de Flandes, del Tirol, del Rosellón y de Barcelona.

Señor de Vizcaya y de Molina.

Capitán General de las Reales Fuerzas Armadas y su Comandante Supremo.

Soberano Gran Maestre de la Insigne Orden del Toisón de Oro.

Jefe y Gran Maestre de la Real Orden de Carlos III.

Jefe y Gran Maestre de la Orden Real de la Reina María Luisa.

Caballero de la Orden de San Javier.

Caballero de la Orden de la Anunciada.

Caballero de la Orden de la Jarretera.

Bailío Gran Cruz de Justicia con collar de la Orden de Constantino y Jorge de Grecia.

Bailío Gran Cruz de Honor y Devoción de la Soberana Orden Militar de Malta.

Gran Collar de la Reina de Saba.

Gran Cordón de la Orden Suprema del Crisantemo de Japón.

Gran Collar de la Dinastía de Reza de Irán.

Gran Cruz de la Legión de Honor y de la Orden Nacional de Mérito.

Y de cuantas Órdenes discierne el Estado español (Montesa, Alcántara, Calatrava y Santiago, entre otras).

Con todo, esta impresionante lista se ve superada por la de la duquesa de Alba.

Los números reales

El número que acompaña al nombre de un rey fue inicialmente un mero invento de los historiadores para clarificar su tarea, pero con el uso se ha convertido en algo más que un ordinal, y constituye un apellido real más, muy a menudo cargado de intención.

El rey Carlos VII, asesinado en 1167, fue el primer monarca sueco con el nombre de Carlos. Nunca existieron Carlos I, II, III, IV, V y VI. Nadie sabe la razón. Similares anomalías se dan con la numeración de los pontífices.

En España se da un primer problema para la numeración correcta de nuestros reyes con un número adecuado que empalme con los antiguos reinos peninsulares de los que surgió el actual español. La solución dada hasta ahora no ha sido partir desde cero, sino numerar desde el monarca preexistente con el número más alto. Fernando VI se llamó así por los cinco Fernandos castellanos y los dos aragoneses anteriores, y similarmente ocurrió con Alfonso XII. Un hipotético futuro Juan debería llamarse, según la costumbre, Juan VI por los cinco Juanes aragoneses y dos castellanos.

Pero hay más problemas. Nuestro soberano Felipe II debía ser en realidad Felipe I, pues Felipe el Hermoso no ciñó nunca la corona real española, ni siquiera la castellana, más que como rey consorte (y regente). Por el contrario, Carlos III debió haberse llamado Carlos IV, pues el archiduque Carlos de Austria reinó en España, al menos en parte de ella, durante la Guerra de Sucesión. La negativa a otorgarle número real indicaba, de hecho, un

(Continúa)

intento, por parte de la dinastía que le desalojó, de ignorar su mera existencia.

Y es que, en efecto, el número omitido o superconsiderado ha sido un instrumento de afirmación o negación utilizado abundantemente en otras dinastías.

En Francia, Luis XVIII, restaurador de la monarquía prerrevolucionaria, adoptó su ordinal en un vano intento de negar legitimidad a la Revolución francesa, afirmando la existencia como rey del hijo de Luis XVI, el delfín Luis, que jamás ciñó corona. Napoleón III contraatacó con la misma arma, presuponiendo con su ordinal la legitimidad del rey de Roma, hijo de Napoleón I, quien, aunque nació en Francia, nunca regresó a este país.

Luis Felipe de Orleans, rey integrador, rompió la costumbre de los nombres simples adoptando un simbólico nombre compuesto, desprovisto de número y por tanto desvinculado de sistemas monárquicos anteriores. Nuestro actual soberano Juan Carlos adoptó una medida similar, aunque sin sustraerse a un innecesario número ordinal.

Durante las guerras carlistas los pretendientes al trono fueron llamándose Carlos V, Carlos VI, Carlos VII y otros nombres, no considerados hoy en el rol real español. ¿Cómo debería numerarse un futuro rey español de nombre Carlos sin herir susceptibilidades en una u otra parte?

Como prudente medida, el actual heredero al trono español lleva el nombre de Felipe, cuyo correcto número, sexto de orden, no podrá suscitar en el futuro resquemor alguno en el conjunto de la población del país.

En Francia los títulos fueron suprimidos durante la Revolución francesa, y desde entonces no tienen reconocimiento legal, aunque los descendientes de los entonces despojados sigan utilizándolos en el ámbito privado.

Nombres mal escritos

La reciente liberalización en la imposición de los nombres acarrea, inevitablemente, la proliferación de formas incorrectas, cuando no francamente bárbaras. Veamos sólo unos ejemplos de nombres mal escritos pero admitidos en el registro civil:

Nombres masculinos		Nombres femeninos	
Bien escritos	*Mal escritos*	*Bien escritos*	*Mal escritos*
Alexandre	Alexander/Alexsande	Ainoa	Ainhoa/Ainoha
Eliecer	Eliesel	Carlota	Carlotta
Eric	Erik	Cintia	Cinthia/Cynthia
Guillem	Guilhem/Guillén	Dalia	Dahlia
Ignasi	Ignaci	Denise	Denisse/Dennisse
Isaac	Issac/Isshak	Irene	Irena
Joel/Yoel	Hoel	Jackie	Jacki
Joshua	Jesjua	Jacqueline	Xaqueline
Jonatán	Johnatan/Jonathan	Jadija	Khadija
Yeray	Yerai	Lidia	Lydia
		Melisa	Melissa
		Meritxell	Merixell
		Míriam	Miryam
		Mirian	Myriam
		Noemí	Nohemí
		Saray	Sarai
		Sheyla	Sheila

Este fenómeno no es más que la versión actual de la eterna creación de «nuevos» nombres por escritura incorrecta de los tradicionales. Es corriente en localidades castellanas y leonesas, donde se imponen estos nombres, que, por conocimiento insuficiente, resultan irreconocibles:

Abilfrido (Adalfrido?)
Adelmelio (Abdemélec?)
Beremundo (Bermudo)
Betricio (Victricio)
Blaudina (Blandina)
Calamarda (Calamanda)
Caralimpio (Caralampio)
Diulvina (Liduvina)
Dustano (Dunstano)
Eberísimo (Verísimo)
Edulfina (Adolfina)
Eficilio (Efiso)
Eliodoro (Heliodoro)
Elisea (Elisa)
Eludinia (Herundina)
Emerido (Emérito)
Erundina (Herundina)
Escelio (Excelio)
Eudovia (Eudoxia)
Eustelio (Eustolio)
Eusterio (Asterio)
Fesdesvindo (Fredesvindo)
Florisinda (Florinda)
Glasfira (Gláfira)

Gorbiniano (Corbiniano)
Liderico (Hilderico)
Líliam (Lilian, Liliana)
Livideo (Livio, por Livídeo)
Luzgarda (Lutgarda)
Malaña (Malañea)
Oficilia (Ofelia)
Pajerto (Pegerto)
Pantagapas (Pantágapes)
Pantalemón (Pantaleémon)
Pavisio (Parisio)
Pridiliano (Prilidiano)
Quilimarco (compuesto de
    Quílez = Quirico y Marcos)
Reotilia (Deotila)
Roganciano (Rogaciano)
Teofisto (Teopisto)
Tirífilo (Trifilo)
Urcisinio (Urciscino)
Vetaldina (Vitalina)
Villebaldo (Willebaldo)
Vitricio (Victricio)
Zoringlio (Zwinglio)

Seudónimos

El seudónimo es mucho más que un nombre inventado bajo el cual se esconde uno real. A veces, el falso nombre es adornado con carácter y atributos diversos, y puede llegar a aniquilar al «verdadero».

El seudónimo presenta muchas variedades. La más conocida, en el campo literario, es el «autor pretendido» o personaje-narrador, pre-

El curioso prefijo Mc/Mac

Entre todos los prefijos que indican filiación, ninguno tan curioso gramaticalmente como el gaélico Mc o Mac, que permite mayúsculas dentro de la palabra y que, por cierto, siempre hay que escribir así, incluso en el caso de que el apellido prefijado esté todo él en mayúsculas: MacArthur o MacARTHUR, McCrea o McCREA.

Hemos visto utilizar el recurso en otros idiomas. Por ejemplo, un conocido compositor de tangos, colaborador de Gardel, se autodenominaba Alfredo LePera.

sente en muchísimas novelas. Más sutil es aún el caso de los heterónimos, encarnación de las distintas voces de un poeta, como Pessoa o Machado.

Algunas veces, la ficción llega aún más lejos, inventando un personaje inexistente: desde el ingenuo Cide Hamete Benengeli al que el propio Cervantes atribuía su *Quijote* hasta la mucho más compleja Bilitis, supuesta poetisa griega del siglo VI a. de C. imaginada por Pierre Louÿs, cuya edición de poesías llegaba a incluir un supuesto retrato de la autora «dibujado por Albert Laurens, según el busto polícromo del Museo del Louvre».

El caso es que a veces los escritores son más conocidos por sus *noms-de-plume* que por sus nombres y apellidos reales.

Algunos seudónimos saltan claramente a la vista, como Doctor Thebussem, Kasabal, Gaziel, Amichatis, Andrenio, Serafí Pitarra, K-Hito, Modesto, El Tostado, Fernanflor, El Caballero Audaz, Xènius, El Solitario, El Curioso Parlante, Jorge Hayaseca, Clarín, Mínimo Español, El Duende de la Colegiata, Charles Hartfield. Otros, en cambio, no tanto: el mismo Lope de Vega firmaba con los seudónimos de Tomé de Burguillos y Gabriel Padecopeo, y Quevedo, con el de Pluvianes del Patrón.

En ocasiones, la creación de un seudónimo es una excusa para rebautizarse uno mismo con un apelativo más a la propia medida. Eso hizo el fraile vizcaíno Juan Antonio de Olabarrieta, más político que religioso, activista en los tiempos de las Cortes de Cádiz, que adoptó el seudónimo de José Joaquín de Clara-Rosa en recuerdo de las mujeres con quienes se había casado (dos en América y dos más en Portugal): Josefa, Joaquina, Clara y Rosa.

A menudo el seudónimo sustituye al nombre a todos los efectos, no sólo profesionales, sino también en la vida corriente. Pocos saben que el verdadero apellido de Fray Luis de Granada era Luis de Sarriá. Y casi nadie, que el del famoso escritor Azorín era José Augusto Trinidad Martínez Ruiz.

En ocasiones puede hablarse de un «semiseudónimo», pues el personaje se ha limitado a un cambio relativamente menudo en su propio nombre, prefiriendo, por ejemplo, el apellido materno, o alterando algo la grafía o el orden de algunos componentes. El famoso general y político decimonónico Baldomero Espartero se llamaba, en realidad, Joaquín Baldomero Fernández Álvarez, pero prefirió hacerse famoso con su segundo nombre y su tercer apellido. Algo similar hicieron el poeta Rubén Darío, cuyo apellido era el familiar paterno, y el actor Fernando Rey, quien, con un primer apellido sospechoso de republicanismo durante la posguerra española, decidió prudentemente recurrir al de una abuela. El actor francés Gérard Philipe no hizo más que añadir una e a su apellido original, Philip. Los ejemplos son más numerosos de lo que podría suponerse.

El primer apellido, el materno

Constituye una práctica casi universal que el recién nacido adopte el apellido paterno, pero no ha sido siempre así. En los tiempos en que el registro civil no fijaba de manera tan inmutable, muchas personas eran conocidas por el apellido de su madre, por ser más eufónico, conocido o querido. La práctica prosigue hoy día, especialmente cuando el primer apellido es excesivamente corriente. Veamos algunas muestras:

Nombre de pila	Apellido materno	Apellido paterno
José Luis	Aranguren	López
Antonio	Banderas	Domínguez
Luis	Berlanga	García
Miguel	Bosé	González
Pedro	Campomanes	Rodríguez
Terelu	Campos	Borrego
Francisco	Cisneros	Jiménez de
Fernando	Delgado	González
Catherine	Deneuve	Dorléac
Miguel	Fleta	Burro
Luis de	Góngora	Argote
Gary	Kasparov (a)	Weinstein
Íñigo	Loyola	López de Recalde
Javier	Mariscal	Errando
Ana	Obregón	García
Bertín	Osborne	(Norberto) (Ortiz)
José	Palafox	Rebolledo de
Pablo	Picasso (Picazo)	Ruiz
Práxedes	Sagasta	Mateo
Diego de	Velázquez	Silva
Juan	Mendizábal	Álvarez
Miguel	Legazpi	López de

El apodo

El apodo es, en muchos casos, el nombre más merecido por la persona. La rigidez de los registros civiles ha impuesto una transmisión de los apellidos a través de las generaciones, invariable incluso ortográficamente. Los nombres de pila gozan de más libertad, pero su repertorio es limitado, y mucho más si se consideran las cortapisas que imponen los hábitos familiares, las modas y la poca fantasía.

¿Nombre de la madre?

A la hora de nacionalizarse, los solicitantes tienen la oportunidad de cambiar su nombre. Muy pocos lo hacen, a no ser que les obliguen causas mayores. Los latinos, sin embargo, se encuentran con un problema de tipo sentimental, porque, para muchos, el nombre que les pusieron sus padres aquí no vale. Lucecita, venezolana, tuvo un disgusto de muerte cuando le dijeron que no podía llamarse así porque la legislación española no permite los diminutivos. Luz le parece espantoso. Además, cuando nació su hijo le quiso poner nombre de coche, Clío, y tampoco le dejaron. «¿Y a ustedes qué más les da cómo yo le diga a mi niño? Como si le quiero llamar BMW».

Lucecita tenía razón en pedir el respeto de su nombre, no en creer que su poder era omnímodo para imponer a su hijo el que deseara. Muy probablemente un nombre como BMW hubiera sido estimado como impropio de persona por el juez encargado del registro civil. Los poderes de los padres son limitados, y la ley debe proteger de ellos a los hijos en ocasiones (La Vanguardia, 6 de diciembre de 2000).

En cambio, el apodo o mote es el verdadero escudo de armas verbal de la persona. Es el nombre que se ha ganado, el auténticamente suyo, no sujeto a herencias ni a rigideces administrativas. Quien se llama García sabe que recibió este apellido y que de la misma forma lo transmitirá. Pero quien es conocido como el Pájaro, probablemente por evocación de algún episodio de su infancia o de alguna cualidad o defecto determinado, sabe que este epíteto le pertenece más que cualquier patrimonio. No lo transmitirá necesariamente a sus hijos, e incluso está en su mano rechazarlo o sustituirlo si le resulta molesto.

En los apodos se manifiesta la fantasía, y a menudo la malevolencia, de quienes los inventan. Moreu-Rey ha propuesto un esquema de clasificación de los motes y apodos en diez extensos grupos: situación familiar, social, etnias, características físicas, singularidades de carácter, oficios, otras dedicaciones, deformaciones de los nombres de pila, topónimos y hechos episódicos.

Muchos motes o sobrenombres son también apellidos. Y es que el apellido (apelativo), o cognombre, supone algo más que un acompañante del nombre de pila. Cuando en el siglo pasado la institucionalización del registro civil impuso a todo el mundo la obligación de declarar y llevar un apellido, este fue tomado con muchísima frecuencia del sobrenombre ya existente. De este modo se explican muchos de los apellidos relacionados con circunstancias, oficios e incluso hechos ofensivos.

Dentro de los apodos, son particularmente interesantes los colectivos, sobre todo los que una comunidad impone a otra rival. Por ejemplo, un pueblo llama al vecino *los pescalunas*, y este contesta con *los cabezas de huevo*. Algunos de esos motes acaban alcanzando difusión universal.

En *La ópera del mendigo*, del escritor John Gay, se dice: «Tienes tantos alias como Robin de Bagshot». Este era un personaje de la banda de Macheath, y era *(a)*[4] *Gordon, (a) Bluff Bob, (a) Carbuncle, (a) Bob Booty*.

Los apodos obedecen en principio a un proceso de diferenciación ante el cual resulta insuficiente el mero nombre de pila, pero esta necesidad funcional no explica siempre su existencia, pues proliferan también en tiempos y lugares donde tal diferenciación no era necesaria: los casos de trabajadores de un taller, soldados de un cuartel o profesores y alumnos de una escuela son los típicos en que el recurso al sobrenombre es gratuito y constante.

Se han sugerido diversas explicaciones complementarias: desde la perpetuación de situaciones históricas o anecdóticas concretas hasta la simple y directa hostilidad hacia la antroponimia impuesta por vía oficial.

De todos modos, la tendencia actual es a la desaparición de los alias, que tienden a ser asociados con el mundo de la delincuencia.

---

4. (a): alias.

ALGUNOS NOMBRES GALLEGOS

Hombres	Traducción	Mujeres	Traducción
Anxo, Anxel	Ángel	Adega	Águeda
Bao	S/equiv.*	Alla, Baia	Eulalia
Benvido	Bienvenido	Amil	S/equiv.*
Bieito	Benito	Anduriña	S/equiv.*
Brais, Bras	Blas	Antía	Antonia
Breixo	Verísimo	Auria	Áurea
Breogán	S/equiv.*	Catalina	Catalina
Ceo, Ceos	Cielo	Cecía	Cecilia
Cibrao	Cipriano	Dóres	Dolores
Elixio	Eligio	Eteria	S/equiv.*
Fiz	Félix	Franqueira	S/equiv.*
Guillelme	Guillermo	Ilda	Hilda
Idacio	S/equiv.*	Iria	S/equiv.*
Locaio	Leocadio	Ledaíña	Letanía
Lois	Luis	Ledicia	Leticia
Manilán	S/equiv.*	Locaia	Leocadia
Mariño	Marino	Margarida	Margarita
Millan	Emiliano	Mariña	Marina
Nuno	Nuño	Neves	Nieves
Ourente	Orencio	Noelia	S/equiv.*
Paio	Pelayo	Noemia	Noemí
Pexerto	Pegerto	Pindusa	S/equiv.*
Roi	Rodrigo	Pomba	Paloma
Senín	Senén	Sabela	Isabel
Tomé	Teodomiro	Saínza	S/equiv.*
Uxío	Eugenio	Saúde	Salud
Vímara	Vimarano	Suevia	S/equiv.*
Vintín	Vintila	Tereixa	Teresa
Xan, Xoán	Juan	Trega	Tecla
Xenxo	Ginés	Ultreia	S/equiv.*
Xeromo	Jerónimo	Xaquelina, Saqueline	Santiaga
Xián, Xiao	Julián	Xema	Gema
Xurxo	Jorge	Xisela	Gisela
		Zeltia	S/equiv.*

ALGUNOS NOMBRES CATALANES

Hombres	Traducción	Mujeres	Traducción
Anton, Antoni	Antonio	Afra	Afra
Arnau	Arnaldo	Agnès	Inés
Benet	Benito	Anaïs, Naïs	Anaís
Berenguer	Berengario	Beatriu	Beatriz

(Continúa)

Bernat	Bernardo	Caterina	Catalina
Blai, Blasi	Blas	Cecília	Cecilia
Blanquerna	S/equiv.*	Coloma	Paloma
Claris	S/equiv.*	Consol	Consuelo
Cristòfol	Cristóbal	Elisabet	Isabel
Cugat	Cucufate	Emma	Manuela
Dalmai, Dalmau	Dalmacio	Estefania	Estefanía
Domènec	Domingo	Estel·la	Estrella
Ermengol	Hermenegildo	Feliça	Felisa
Esteve	Esteban	Gal·la	Gala
Feliu	Félix	Meritxell	S/equiv.*
Ferran	Fernando	Miracle	Milagros
Guillem	Guillermo	Nadal	Natividad
Jeroni	Jerónimo	Nena, Nina	Niña
Joaquim	Joaquín	Neus	Nieves
Lleïr	Licerio	Omfàlia	Onfalia
Llorenç	Lorenzo	Onia	Onia
Manel	Manuel	Paula	Paula
Marcel·lí	Marcelino	Remei	Remedios
Medir	Medín	Peronella	Petronila
Melcior	Melchor	Puríssima	Purísima
Muç	Mucio	Salut	Salud (Virgen de la Salud en Terrassa)
Pau	Pablo	Sibil·la	Sibila
Pere	Pedro	Susanna	Susana
Quirze	Quirico	Tura	S/equiv.*
Roger	Rogelio	Violant	Violante, Yolanda
Sadurní	Saturnino		
Vidal	Vidal		

*S/equiv.: sin equivalente

ALGUNOS NOMBRES EN EUSKERA SIN EQUIVALENTE ESPAÑOL

Hombres: Aitor, Akotain, Alerto, Anen, Añibarro, Aritz, Atenko, Axo, Baraxil, Bengoa, Beteri, Bolibar, Dogartzi, Eñaut, Erdain, Gaskue, Gaueko, Gutxi, Hodei, Igal, Igotz, Iker, Ilixo, Irrintzi, Isatsi, Ixaka, Kai, Kusko, Lain, Lartaun, Legazpi, Lerruz, Lokitz, Lur, Maru, Mazio, Mehatz, Nabar, Oier, Orats, Ortzuri, Sandrili, Sugoi, Txaran, Udalaitz, Unax, Ur, Xuban, Zain, Zigor.

Mujeres: Aiala, Ainara, Aioras, Aiskoa, Aizpea, Almike, Ametza, Ande, Añana, Apala, Beloke, Burne, Diagur, Dorleta, Eilba, Enara, Eriete, Finia, Gexina, Goizaldi, Gutune, Hua, Ikomar, Iratxe, Irutxeta, Iurre, Kaia, Kaiene, Koikide, Laida, Leiore, Leza, Maialen, Matiena, Milia, Naia, Oitia, Olar, Otaza, Pelela, Saioa, Saloa, Sorauren, Tosea, Udane, Uli, Urrika, Usue, Xixili, Zaiñe, Zisa, Zuhurne, Zutoia.

76

LEGISLACIÓN ACTUAL SOBRE LOS NOMBRES

Historia del registro civil

El registro civil viene a ser como un catálogo oficial de las personas integradas en su ordenamiento jurídico, y en el que consta de modo auténtico su existencia, presencia, subsistencia y estado civil.

A medida que el Estado aumenta su poder, siente el deseo de tener datos de todos sus súbditos, tanto por razones de orden público (seguridad) como policiacas (represión), y, modernamente, defensivas y fiscales. Fruto de todos estos afanes es el instrumento controlador por excelencia, el registro civil, de cuyo funcionamiento se hace cargo el propio aparato estatal.

Durante muchos siglos ni el Estado ni la Iglesia se preocuparon de disponer de un registro del estado civil de las personas. En el Imperio romano hubo algún precedente de este tipo de control estatal, pero tan sólo se hicieron censos que no tenían periodicidad, y se trataba, en general, de simples recuentos de ciudadanos, sin más, como el tan conocido del nacimiento de Jesús de Nazaret. Fue la Iglesia católica quien, a partir del Concilio de Trento, promulgó unas normas regularizando el modo de llevar los libros parroquiales de bautismos y matrimonios (luego, la práctica impuso el de defunciones). Estos asientos, con el tiempo, fueron comenzando a ser utilizados y admitidos como prueba en los contenciosos civiles. Pasados ya muchos años, en 1749, se encarga por ley en España a los prelados de nuestro reino el que se pusiese todo cuidado a fin de que los libros parroquiales estuvieran bien custodiados y con total seguridad en sus iglesias.

Así, sin hacerse cargo el Estado de este control tan vital para el ordenamiento jurídico, siguió España hasta el año 1869. Tras la «Gloriosa», la revolución de 1868, en la nueva Constitución de 1869 se proclamaba la libertad de culto. Esta libertad exigía la creación de un registro civil en el que anotar los datos de todos los españoles, fueran o no católicos, y así surgió la ley «provisional» de 17 de junio de 1870, que implantó por vez primera en el Estado tal registro, ya con sus actuales características generales. Tal ley entró en vigor el 1 de enero de 1871. Y, aunque titulada «provisional», mantuvo su vigor hasta ser sustituida por otra nueva de 1957 que, junto a su reglamento (hubo un político español de inicios del siglo que venía a decir: «Que hagan ellos la ley, siempre que me dejen a mí escribir su reglamento...») del 14 de noviembre de 1958, comenzó a regir a partir del primero de enero del año siguiente.

En tal registro han de constar, de acuerdo con la ley:

— el nacimiento;
— la filiación;
— el nombre y los apellidos;
— la emancipación y habilitación de edad;
— las modificaciones judiciales de la capacidad de las personas, o si estas han sido declaradas en concurso, quiebra o suspensión de pagos;
— las declaraciones de ausencia o fallecimiento;
— la nacionalidad y vecindad;
— la patria potestad, tutela y demás representaciones que señala la ley;
— el matrimonio;
— la defunción.

Inherente al registro civil es su carácter público. Sin embargo, no en todos los países se da esta circunstancia. En Francia, por ejemplo, sólo pueden solicitar el acceso a estos datos el interesado, sus familiares o los que aleguen justa causa (herederos, etc.).

El registro civil está dividido en cuatro secciones:

• Nacimientos y general: constan los nacimientos, con filiación materna y paterna. Normalmente incluye nombres y apellidos de los cuatro abuelos.

- Matrimonios: constan nombres y apellidos de los contrayentes, filiación de estos y, en ocasiones, su fecha y lugar de nacimiento.
- Defunciones: se hace constar el fallecimiento, con fecha, lugar y hora, siempre mediante certificación médica. Se da la identidad del fallecido, y su lugar y fecha de nacimiento.
- Tutelas y representaciones legales.

Las actas del registro civil son medios de información excepcionalmente seguros, dadas las precauciones que se toman al adquirir los datos.

Artículos relativos al nombre en el Código Civil

Artículo 109. La filiación determina los apellidos con arreglo a lo dispuesto en la ley.

Si la filiación está determinada por ambas líneas, el padre y la madre de común acuerdo podrán decidir el orden de transmisión de su respectivo primer apellido, antes de la inscripción registral. Si no se ejercita esta opción, regirá lo dispuesto en la ley.

El orden de apellidos inscrito para el mayor de los hijos regirá en las inscripciones de nacimiento posteriores de sus hermanos del mismo vínculo.

El hijo, al alcanzar la mayor edad, podrá solicitar que se altere el orden de los apellidos.

Artículo 111. Quedará excluido de la patria potestad y demás funciones tuitivas y no ostentará derechos por ministerio de la Ley respecto del hijo o de sus descendientes, o en sus herencias, el progenitor:

1. Cuando haya sido condenado a causa de las relaciones a que obedezca la generación, según sentencia penal firme.

2. Cuando la filiación haya sido judicialmente determinada contra su oposición.

Multa de 600 € por rechazar el nombre de pila en castellano

El vecino de Tortosa Jordi Pere Casanova ha presentado una queja ante el Síndic de Greuges por una multa de 600 euros que le ha impuesto un juez por no atender un requerimiento judicial en el que su nombre aparecía en castellano: Jorge Pedro Casanova. La multa, que en caso de no pagarse se saldará con 25 días de prisión, ha sido impuesta por el juzgado número tres de Tortosa por desobediencia a la autoridad, según explicó ayer el afectado.

«Dije a la policía local, que me presentó el requerimiento, que no lo aceptaba porque mi nombre no era ese. Lo pudieron comprobar porque les mostré mi DNI y cómo figura en el registro civil desde 1977», dijo Casanova, quien ha presentado un recurso en la Audiencia de Tarragona. El incidente se produjo a raíz de un proceso judicial por un conflicto familiar (El Periódico de Catalunya, 29 de junio de 2002).

En ambos supuestos, el hijo no ostentará el apellido del progenitor en cuestión más que si lo necesita él mismo o su representante legal.

Dejarán de producir efecto estas restricciones por determinación del representante legal del hijo aprobada judicialmente, o por voluntad del propio hijo una vez alcanzada la plena capacidad.

Quedarán siempre a salvo las obligaciones de velar por los hijos y prestarles alimentos.

Artículos relativos al nombre en la Ley de 8 de junio de 1957, sobre el Registro Civil

Artículo 53. Las personas son designadas por su nombre y apellidos, correspondientes a ambos progenitores, que la Ley ampara frente a todos.

Artículo 54. En la inscripción se expresará el nombre que se da al nacido, si bien no podrá consignarse más de un nombre compuesto, ni más de dos simples.

Quedan prohibidos los nombres que objetivamente perjudiquen a la persona, los que hagan confusa la identificación y los que induzcan a error en cuanto al sexo.

No puede imponerse al nacido nombre que ostente uno de sus hermanos, a no ser que hubiera fallecido, así como tampoco su traducción usual a otra lengua.

A petición del interesado o de su representante legal, el encargado del registro sustituirá el nombre propio de aquel por su equivalente onomástico en cualquiera de las lenguas españolas.

Artículo 55. La filiación determina los apellidos.

En los supuestos de nacimiento con una sola filiación reconocida, esta determina los apellidos, pudiendo el progenitor que reconozca su condición de tal determinar, al tiempo de la inscripción, el orden de los apellidos.

El orden de los apellidos establecido para la primera inscripción de nacimiento determina el orden para la inscripción de los posteriores nacimientos con idéntica filiación.

Alcanzada la mayoría de edad, se podrá solicitar la alteración del orden de los apellidos.

El encargado del registro impondrá un nombre y unos apellidos de uso corriente al nacido cuya filiación no pueda determinarlos.

El encargado del registro, a petición del interesado o de su representante legal, procederá a regularizar ortográficamente los apellidos cuando la forma inscrita en el registro no se adecúe a la gramática y fonética de la lengua española correspondiente.

Artículo 56. En la escritura de adopción se puede convertir que el primer apellido del adoptante o adoptantes se anteponga a los de la familia natural del adoptado.

Los apellidos no naturales pueden ser sustituidos por los de los adoptantes.

Artículo 57. El Ministerio de Justicia puede autorizar cambios de nombre y apellidos, previo expediente instruido en forma reglamentaria.

Son requisitos necesarios de la petición de cambio de apellidos:

1. Que el apellido en la forma propuesta constituya una situación de hecho no creada por el interesado.

2. Que el apellido o apellidos que se tratan de unir o modificar pertenezcan legítimamente al peticionario.

3. Que provenga de la línea correspondiente al apellido que se trata de alterar.

Podrá formularse oposición fundada únicamente en el incumplimiento de los requisitos exigidos.

Artículo 58. No será necesario que concurra el primer requisito del artículo anterior para cambiar o modificar un apellido contrario al decoro o que ocasione graves inconvenientes, o para evitar la desaparición de un apellido español.

Cuando se den circunstancias excepcionales, y a pesar de faltar los requisitos que señala dicho artículo, podrá accederse al cambio por Real Decreto a propuesta del Ministerio de Justicia, con audiencia del Consejo de Estado. En caso de que el solicitante de la autorización del cambio de sus apellidos sea objeto de violencia de género y en cualquier otro supuesto en que la urgencia de la situación así lo requiriera, podrá accederse al cambio por Orden del Ministerio de Justicia, en los términos fijados por el Reglamento.

En todos estos casos, la oposición puede fundarse en cualquier motivo razonable.

Artículo 59. El juez de Primera Instancia puede autorizar, previo expediente:

1. El cambio del apellido Expósito u otros análogos, indicadores de origen desconocido, por otro que pertenezca al peticionario o, en su defecto, por un apellido de uso corriente.

2. El de nombre y apellidos impuestos con infracción de las normas establecidas.

3. La conservación por el hijo natural o sus descendientes de los apellidos que vinieren usando, siempre que insten el procedimiento dentro de los dos meses siguientes a la inscripción del reconocimiento o, en su caso, a la mayoría de edad.

4. El cambio del nombre por el impuesto canónicamente, cuando este fuere el usado habitualmente.

5. La traducción de nombre extranjero o adecuación gráfica al español de la fonética de apellidos también extranjeros.

Artículo 60. Para el cambio de nombre y apellidos a que se refiere el artículo anterior se requiere, en todo caso, justa causa y que no haya perjuicio de tercero.

Artículo 61. El cambio gubernativo de apellidos alcanza a los sujetos a la patria potestad y también a los demás descendientes que expresamente lo consientan.

Artículo 62. Las autorizaciones de cambios de nombre y apellidos no surtirán efecto mientras no se inscriban al margen de la correspondiente inscripción de nacimiento.

Artículos relativos al nombre en el Reglamento de la Ley del Registro Civil (14 de noviembre de 1958)

Artículo 192. No se podrán imponer más de dos nombres simples o de uno compuesto. Cuando se impongan dos nombres simples, estos se unirán por un guión y ambos se escribirán con mayúscula inicial.

Se considera que perjudican objetivamente a la persona los nombres propios que, por sí o en combinación con los apellidos, resultan contrarios al decoro.

La sustitución del nombre propio por su equivalente onomástico en cualquiera de las lenguas españolas requerirá, si no fuese notorio, que se acredite por los medios oportunos esta equivalencia y la grafía correcta del nombre solicitado.

Artículo 193. El encargado hará constar en la inscripción de nacimiento el nombre impuesto por los padres o guardadores, según lo manifestado por el declarante. No expresándose nombre o siendo este inadmisible, el encargado requerirá a las personas mencionadas en el párrafo anterior para que den nombre al nacido, con apercibimiento de que, pasados tres días sin haberlo hecho, se procederá a la inscripción de nacimiento, imponiéndose el nombre por el encargado.

Artículo 194. Si la filiación está determinada por ambas líneas y a salvo la opción prevista en el artículo 109 del Código Civil, primer apellido de un español es el primero del padre y segundo apellido el primero de los personales de la madre, aunque sea extranjera.

Artículo 195. A petición del propio interesado, ante el encargado, se antepondrá la preposición *de* al apellido paterno que fuere usualmente nombre propio o empezare por tal.

Artículo 196. No puede imponerse de oficio como apellido el de Expósito u otro indicador de origen desconocido, ni nombre propio.

Establecida la filiación paterna, materna o en ambas líneas, perderán su vigencia los apellidos impuestos por no ser aquella conocida.

Artículo 197. En las inscripciones de reconocimiento, adopción, adquisición de nacionalidad española, resoluciones que afecten a estos hechos o cualquier otro que determine cambio de apellidos, se expresará con claridad el orden resultante.

Artículo 198. La inversión de apellidos de los mayores de edad podrá formalizarse mediante simple declaración ante el encargado del registro civil del domicilio y no surte efecto mientras no se inscriba.

El mismo régimen rige para la regularización ortográfica de los apellidos para adecuarlos a la gramática y fonética de la lengua española correspondiente. Cuando no fuere un hecho notorio, deberá acreditarse por los medios oportunos que el apellido pertenece a una lengua vernácula y su grafía exacta en este idioma.

Artículo 199. El que adquiera la nacionalidad española conservará los apellidos que ostente en forma distinta de la legal, siempre que así lo declare en el acto de adquirirla, o dentro de los dos meses siguientes a la adquisición o a la mayoría de edad.

La declaración se ajustará a las reglas del artículo anterior.

Artículo 200. En la inscripción de nacimiento constará la forma masculina o femenina del apellido de origen extranjero cuando en el país de procedencia se admite la variante, acreditándose esta, si no es conocida por el encargado, en virtud de testimonio del cónsul en España, del cónsul de España en el país o de notario español que la conozca. Los hijos de españoles fijarán tales apellidos en la forma que en el uso haya prevalecido.

Al margen se podrán anotar las versiones de apellidos extranjeros cuando se acredite igualmente que son usuales.

Artículo 201. El adoptado en forma plena por una sola persona tendrá por su orden los apellidos del adoptante. Se exceptúan el caso en que uno de los cónyuges adopte al hijo de su consorte, aunque haya fallecido, y aquel en que la única adoptante sea mujer. En este último supuesto podrá invertirse el orden con el consentimiento de la adoptante y del adoptado si es mayor de edad, sin perjuicio de lo dispuesto en el artículo 207.

Artículo 202. Constituida e inscrita una adopción simple, podrá convenirse después en cualquier momento, por escritura pública y en vida del adoptante o adoptantes, la sustitución de los apellidos del adoptado por los de aquel o estos o el uso de un apellido de cada procedencia, caso en que se fijará el orden de los mismos.

Artículo 203. Fallecido el adoptante o los adoptantes simples, la concesión de sus apellidos al adoptado requiere autorización del Ministerio de Justicia, a solicitud del adoptado, y con el consentimiento de los herederos, descendientes y cónyuges del adoptante o de sus representantes legales.

Artículo 204. El adoptado transmite el primer apellido a los descendientes.

El cambio de apellidos por adopción alcanza a los sujetos a la patria potestad y también a los demás descendientes que expresamente lo consientan en la propia escritura o dentro de los dos meses siguientes. La declaración se ajustará a las reglas del artículo 198.

Artículo 205. El Ministerio de Justicia puede autorizar cambios de nombre y apellidos, previo expediente instruido en forma reglamentaria.

Son requisitos necesarios de la petición de cambio de apellidos:

1. Que el apellido en la forma propuesta constituya una situación de hecho no creada por el interesado.

2. Que el apellido o apellidos que se traten de unir o modificar pertenezcan legítimamente al peticionario.

3. Que los apellidos que resulten después del cambio no provengan de la misma línea.

Podrá formularse oposición fundada únicamente en el incumplimiento de los requisitos exigidos.

Artículo 206. Los cambios pueden consistir en segregación de palabras, agregación, transposición o supresión de letras o acentos, supresión de artículos o partículas, traducción o adaptación gráfica o fonética a las lenguas españolas, y en sustitución, anteposición o agregación de otros nombres o apellidos o parte de apellidos u otros análogos, dentro de los límites legales.

Las uniones no podrán exceder de dos palabras, sin contar artículos ni partículas.

El cambio de nombre propio requiere justa causa y que no perjudique a tercero.

Indemnizan por un error en el listín de teléfonos

Santa Rosa (California). Una agencia de viajes que se anunciaba con el eslogan «Viajes exóticos» fue indemnizada con diez millones de dólares, porque en el listín telefónico el eslogan se había convertido en «Viajes eróticos».

La directora de la agencia, «harta de oír jadeos por teléfono», tal como declaró ante el juez que sentenció el caso, decidió finalmente querellarse contra la Pacific Bell por el perjudicial error en el listín.

Al menos, eso decía la prensa (La Vanguardia, 19 de agosto de 1988).

Se cuenta que en España ocurrió algo parecido, aunque con una indemnización mucho más modesta, con un tal señor Marimón, cuya segunda m habían transformado los duendes de la imprenta en una c.

Artículo 207. Bastará con que se cumpla el requisito del número 1 del artículo 205 para que pueda autorizarse el cambio de apellidos en los siguientes casos:

a) Si se tratare de apellido o apellidos que no correspondan por naturaleza y el propuesto sea usual o perteneciente a la línea de apellidos conocida.

b) Si el apellido o apellidos solicitados correspondieren a quien tuviere adoptado, prohijado o acogido de hecho al interesado, siempre que aquel o, por haber fallecido, sus herederos den su consentimiento al cambio.

En todo caso se requiere que, por sí o sus representantes legales, asientan al cambio el cónyuge y los descendientes del titular del apellido.

Artículo 208. No será necesario que concurra el primer requisito del artículo 205 para cambiar o modificar un apellido contrario al decoro o que ocasione graves inconvenientes o para evitar la desaparición de un apellido español. Se entiende que un apellido ocasiona graves inconvenientes cuando fuere extranjero o, por cualquier razón, lleve consigo deshonra.

Cuando se den circunstancias excepcionales, y a pesar de faltar los requisitos que señala dicho artículo, podrá accederse al cambio por Decreto, a propuesta del Ministerio de Justicia con audiencia del Consejo de Estado.

En todos estos casos la oposición puede fundarse en cualquier motivo razonable.

Lo dispuesto en este artículo se entiende sin perjuicio del ejercicio de las acciones que puedan proceder una vez concedida la autorización del cambio y, en particular, en caso de que se apreciare con posteridad a la autorización del cambio la existencia de simulación o fraude por parte del solicitante.

Artículo 209. El juez de Primera Instancia, encargado del registro, puede autorizar, previo expediente:

1. El cambio de apellido Expósito u otros análogos, indicadores de origen desconocido, por otro que pertenezca al peticionario o, en su defecto, por un apellido de uso corriente.

2. El de nombres y apellidos impuestos con infracción de las normas establecidas.

3. La conservación por el hijo o sus descendientes de los apellidos que vinieran usando, siempre que insten el procedimiento dentro de los dos meses siguientes a la inscripción de la filiación o, en su caso, a la mayoría de edad.

4. El cambio de nombre propio por el usado habitualmente.

5. La traducción de nombre extranjero o adecuación gráfica a las lenguas españolas de la fonética de apellido también extranjero.

El Ministerio de Justicia puede, en todos estos casos, autorizar directamente y sin limitación de plazo el cambio o conservación de nombre y apellidos.

Artículo 210. Para el cambio de nombre y apellidos a que se refiere el artículo anterior se requiere, en todo caso, justa causa y que no haya perjuicio de tercero.

Artículo 211. El apellido Expósito o análogo será sustituido:

1. Por aquel en que concurra la situación de hecho, pertenencia legítima y proveniencia de línea exigidas para el cambio ordinario.
2. En su defecto, por el siguiente, en la misma línea, al que ha de sustituirse.
3. Si no hay apellidos de la línea, por el elegido por el peticionario o representante legal entre los de la otra, exceptuado el que ya ostenta como paterno o materno, o entre los de uso corriente.

Artículo 212. El nombre impuesto con infracción de las normas establecidas será, en su caso, traducido y, en los demás, sustituido por otro ajustado, que usare habitualmente el peticionario; en su defecto, por el elegido por él o su representante legal, y, en último término, por uno impuesto de oficio.

El apellido impuesto con infracción de las normas será sustituido por el que estas determinen; en su defecto, por el llevado habitualmente por el peticionario; después, por el de uso corriente que él o su representante legal elija y, en último término, por uno impuesto de oficio.

Artículo 213. Para el que adquiera la nacionalidad, el nacido no inscrito en plazo o el inscrito sin nombre o apellidos, rigen las siguientes reglas:

1. Se mantendrá el nombre y, cuando la filiación no determine otros, los apellidos que viniere usando, aunque no fueren, uno u otros, de uso corriente.

2. Serán completados o cambiados en cuanto infrinjan las demás normas establecidas.

El cambio o imposición se efectuará conforme a las reglas del artículo anterior, y tratándose de abandonados o expósitos, en cuanto estas lo consientan, se respetarán los nombres y apellidos de uso corriente indicados en escrito hallado con ellos.

Artículo 214. Estas modificaciones o imposiciones de nombres y apellidos se efectuarán en los trámites previos a la inscripción de nacimiento o complementarios de sus circunstancias, o en el propio expediente de nacionalidad.

Artículo 215. Lo dispuesto en los tres artículos anteriores se entiende sin perjuicio de que los interesados puedan solicitar, cuando proceda, el cambio de nombre y apellidos que no son de uso corriente.

No estando inscritos el nombre y apellidos antiguos, se harán constar, en todo caso, con el cambio producido.

Artículo 216. La solicitud para el cambio expresará con claridad la genealogía, en cuanto sea necesario justificar la procedencia de algún apellido. El solicitante acreditará los requisitos exigidos para el cambio.

Artículo 217. Todo cambio de apellidos alcanza a los sujetos a la patria potestad y también a los demás descendientes que expresamente lo consientan.

Para que alcance a estos descendientes, se requiere la inscripción de su consentimiento, formulado bien en el expediente, bien dentro de los dos meses siguientes a la inscripción del cambio y con sujeción a las reglas formales de reconocimiento ante el encargado.

El encargado competente para la inscripción de cualquiera acto que implique cambio de nombre o apellidos lo comunicará, en cuanto afecte a mayores de dieciséis años, a la Dirección General de la Policía del Ministerio del Interior y al Registro Central de Penados y Rebeldes. También podrá comunicarlo, en su caso, a las autoridades de Policía del país extranjero en que residan los alcanzados por el cambio. La Dirección General de los Registros y del Notariado puede ordenar otras comunicaciones.

Artículo 218. En las autorizaciones de cambios de nombre o apellidos se expresará que no surten efectos mientras no sean inscritos al margen de la inscripción de nacimiento del peticionario.

La inscripción sólo puede practicarse si se solicita antes de ciento ochenta días desde la notificación.

Inscrito el cambio, se pondrá de oficio nota marginal de referencia en todos los folios registrales en que consten los antiguos, incluso en los de nacimiento de los hijos, para lo cual el interesado proporcionará los datos no conocidos.

Artículo 219. El nombre y apellidos de un extranjero se rigen por su ley personal.

Circular de 2 de julio de 1980, de la Dirección General de los Registros y del Notariado, sobre inscripción de nombres propios en el Registro Civil (BOE núm. 161, de 5 de julio)

Las profundas transformaciones producidas en los últimos años en la sociedad española, como consecuencia de la implantación de un régimen político democrático y pluralista, inciden necesariamente en múltiples materias de registro civil y, entre ellas de forma inmediata, en los criterios para la imposición de nombres propios a los nacidos.

En este sentido cabe destacar cómo —por imperativo del principio de libertad religiosa y por respeto al sentir popular y regional de distintas zonas de España— la Ley 17/1977, de 4 de enero, suprimió la referencia al nombre impuesto en el bautismo y amplió a cualquiera de las lenguas españolas la hasta entonces obligatoria utilización de la lengua castellana, indicando también en su preámbulo que «la libertad en la imposición de nombres no debe tener, en principio, otros límites que los exigidos por el respeto a la dignidad de la propia persona».

Sin perjuicio de que sea conveniente en esta materia una reforma legislativa, es ya oportuno que, sin esperar a ella, señale este centro directivo, para unificar la práctica de los distintos registros civiles, los criterios interpretativos de la normativa vigente, a la luz de la realidad social, cultural y política actual y muy especialmente de los principios y valores plasmados en la Constitución española de 1978. A este fin se encamina la presente circular, por la que se indican para la imposición de nombres propios a los nacidos los siguientes criterios:

1. El principio general es el de libertad de los padres para imponer al nacido el nombre que estimen conveniente y la excepción son los límites y prohibiciones [...], que tienen su justificación en el respeto a la dignidad de la persona del nacido y en la necesidad de evitar confusiones en su identificación.

2. Tales prohibiciones, por su propia naturaleza, han de ser interpretadas restrictivamente, de modo que no cabe rechazar el nombre elegido por los padres más que cuando claramente y de acuerdo con la realidad actual aparezca que aquel nombre incide en alguna prohibición legal.

3. En principio, no pueden considerarse extravagantes, impropios de personas, ni subversivos los nombres que se refieran a valores recogidos por la Constitución.

4. Para fijar los conceptos, tan subjetivos, de impropiedad y extravagancia, hay que tener en cuenta no sólo la tradición católica, sino la realidad actual de nuestra cultura, sociedad y organización política pluralistas.

5. El concepto de irreverencia no ha de referirse sólo a la religión católica, sino, por imperativo de los principios de libertad religiosa y aconfesionalidad de nuestra Constitución, a todas las creencias religiosas de la sociedad española.

6. Como consecuencia de los criterios expuestos, y conforme a la doctrina de este centro, puede señalarse, por vía de ejemplo, que son admisibles los nombres extranjeros que no tengan equivalente onomástico usual en las lenguas españolas, los de personajes históricos, mitológicos, legendarios o artísticos, bien pertenezcan al acervo cultural universal, bien al de determinada nacionalidad o región española, los geográficos que en sí mismos sean apropiados para designar persona, y, en fin, cualquier nombre abstracto, común o de fantasía, que no induzca a error en cuanto al sexo.

DICCIONARIO DE NOMBRES

Los doscientos nombres de 2008

El Instituto Nacional de Estadística (INE) publica todos los años las frecuencias de los nombres impuestos a los bebés en toda España. Puede, pues, considerarse esta lista como la de «los nombres de moda». Esta es la correspondiente a 2008, que puede encontrarse en http://www.ine.es/daco/daco42/nombyapel/nombyapel.htm:

◇◇◇◇◇◇◇

Frecuencias de los nombres impuestos a los bebés en España en el año 2008

Ranking	Niños	Total 268056		Niñas	Total 250911	
1	Daniel	6580	2,45 %	Lucía	8013	3,19 %
2	Alejandro	6478	2,42 %	María	6883	2,74 %
3	Pablo	5911	2,21 %	Paula	6806	2,71 %
4	David	5385	2,01 %	Sara	4730	1,89 %
5	Adrián	5330	1,99 %	Carla	4271	1,70 %
6	Hugo	5162	1,93 %	Claudia	4095	1,63 %
7	Álvaro	5034	1,88 %	Laura	4023	1,60 %
8	Javier	4091	1,53 %	Marta	3927	1,57 %
9	Diego	3506	1,31 %	Irene	3759	1,50 %
10	Sergio	3401	1,27 %	Alba	3706	1,48 %
11	Marcos	3182	1,19 %	Sofía	3246	1,29 %
12	Iván	3161	1,18 %	Daniela	2953	1,18 %
13	Iker	3086	1,15 %	Julia	2866	1,14 %

(Continúa)

14	Manuel	2918	1,09 %	Andrea	2621	1,04 %
15	Mario	2856	1,07 %	Ana	2503	1,00 %
16	Jorge	2826	1,05 %	Carmen	2450	0,98 %
17	Carlos	2823	1,05 %	Elena	2363	0,94 %
18	Miguel	2684	1,00 %	Nerea	2318	0,92 %
19	Rubén	2439	0,91 %	Natalia	2162	0,86 %
20	Antonio	2316	0,86 %	Martina	2122	0,85 %
21	Raúl	2254	0,84 %	Rocío	1936	0,77 %
22	Lucas	2177	0,81 %	Marina	1928	0,77 %
23	Nicolás	2057	0,77 %	Aitana	1816	0,72 %
24	Juan	2050	0,76 %	Alejandra	1783	0,71 %
25	Marc	2028	0,76 %	Noa	1766	0,70 %
26	Víctor	2003	0,75 %	Inés	1759	0,70 %
27	Aitor	1902	0,71 %	Ainhoa	1757	0,70 %
28	Ángel	1902	0,71 %	Ángela	1726	'0,69 %
29	Àlex	1896	0,71 %	Adriana	1686	0,67 %
30	Héctor	1862	0,69 %	Cristina	1472	0,59 %
31	Samuel	1826	0,68 %	Celia	1403	0,56 %
32	Rodrigo	1794	0,67 %	Candela	1369	0,55 %
33	Izan	1736	0,65 %	Laia	1341	0,53 %
34	Guillermo	1693	0,63 %	Nuria	1306	0,52 %
35	Jesús	1693	0,63 %	Ainara	1289	0,51 %
36	Gonzalo	1632	0,61 %	Ariadna	1289	0,51 %
37	Alberto	1557	0,58 %	Carlota	1271	0,51 %
38	José	1524	0,57 %	Emma	1250	0,50 %
39	Francisco	1512	0,56 %	Alicia	1235	0,49 %
40	Aarón	1506	0,56 %	Blanca	1209	0,48 %
41	Gabriel	1448	0,54 %	Valeria	1168	0,47 %
42	Óscar	1423	0,53 %	Clara	1079	0,43 %
43	Jaime	1406	0,52 %	Eva	1073	0,43 %
44	Pau	1348	0,50 %	Míriam	1071	0,43 %
45	Luis	1307	0,49 %	Noelia	1051	0,42 %
46	Pedro	1256	0,47 %	Aroa	1025	0,41 %
47	Adam	1227	0,46 %	Sandra	1025	0,41 %
48	Ismael	1211	0,45 %	Patricia	1023	0,41 %

(Continúa)

49	Rafael	1179	0,44%	Leire	1018	0,41%
50	Miguel Ángel	1135	0,42%	Carolina	1018	0,41%
51	Mohamed	1122	0,42%	Isabel	964	0,38%
52	Joel	1103	0,41%	Jimena	960	0,38%
53	Martín	1088	0,41%	Erika	957	0,38%
54	Fernando	1058	0,39%	Victoria	952	0,38%
55	Ignacio	1055	0,39%	Lola	948	0,38%
56	Eric	1030	0,38%	Silvia	886	0,35%
57	Darío	1008	0,38%	Naiara	872	0,35%
58	Andrés	981	0,37%	Raquel	857	0,34%
59	Unai	969	0,36%	Nora	849	0,34%
60	Pol	960	0,36%	Lorena	792	0,32%
61	Mateo	957	0,36%	Nayara	759	0,30%
62	Cristián	919	0,34%	Paola	723	0,29%
63	Arnau	909	0,34%	Aina	699	0,28%
64	Francisco Javier	875	0,33%	Leyre	691	0,28%
65	Asier	845	0,32%	Jana	673	0,27%
66	José Antonio	842	0,31%	África	671	0,27%
67	José Manuel	834	0,31%	Lara	670	0,27%
68	Joan	827	0,31%	Mireia	662	0,26%
69	Enrique	823	0,31%	Salma	655	0,26%
70	Marco	800	0,30%	Anna	652	0,26%
71	Bruno	796	0,30%	Mar	646	0,26%
72	Santiago	792	0,30%	Gabriela	641	0,26%
73	Eduardo	764	0,29%	Berta	639	0,25%
74	Jan	749	0,28%	Abril	634	0,25%
75	Roberto	720	0,27%	Elsa	624	0,25%
76	Jordi	667	0,25%	Helena	609	0,24%
77	Biel	664	0,25%	Lidia	605	0,24%
78	Martí	640	0,24%	Aya	602	0,24%
79	Juan José	631	0,24%	Ana María	574	0,23%
80	Adrià	606	0,23%	Sheila	562	0,22%
81	Oriol	589	0,22%	Beatriz	555	0,22%
82	Saúl	584	0,22%	Judith	548	0,22%
83	Isaac	566	0,21%	Fátima	543	0,22%

(Continúa)

84	Christian	542	0,20 %	Yaiza	531	0,21 %
85	José Luis	537	0,20 %	Esther	523	0,21 %
86	Kevin	529	0,20 %	Diana	513	0,20 %
87	Erik	522	0,19 %	Luna	512	0,20 %
88	Juan Manuel	518	0,19 %	Teresa	482	0,19 %
89	Yeray	516	0,19 %	Iría	473	0,19 %
90	Guillem	501	0,19 %	Mónica	472	0,19 %
91	Gerard	495	0,18 %	Nadia	470	0,19 %
92	Sergi	486	0,18 %	Saray	469	0,19 %
93	Aleix	485	0,18 %	Sonia	456	0,18 %
94	Eneko	476	0,18 %	Alexia	440	0,18 %
95	César	470	0,18 %	Nahia	433	0,17 %
96	Juan Antonio	467	0,17 %	Manuela	431	0,17 %
97	Aimar	464	0,17 %	Noemí	429	0,17 %
98	Roger	457	0,17 %	Naia	422	0,17 %
99	Joaquín	446	0,17 %	Estela	418	0,17 %
100	José María	446	0,17 %	Ane	395	0,16 %

Pueden observarse pocas novedades con respecto a las listas de años precedentes. Entre los nombres de los varones, siguen ocupando los cinco primeros lugares Daniel, Alejandro, Pablo, David y Adrián; y entre las niñas, Lucía, María (¿quién dijo que este nombre estaba en decadencia?), Paula, Sara y Carla. La cosa no ha variado mucho, pues.

La lista nos ofrece más información sobre los gustos de los españoles a la hora de poner nombres a sus vástagos. En primer lugar, la variedad cada vez es mayor. Ya han pasado los tiempos en que el 25 % de los varones se llamaban José y el ¡50 %! de las mujeres, María. En 2008, los cien primeros nombres masculinos suponen un 61,50 % del total, mientras que los de las cien españolas suponen el 59,19 %, es decir, algo menos. Dicho con otras palabras, la variedad de los nombres femeninos es algo mayor que la de los masculinos. Los padres se estrujan cada vez más las meninges en busca de un nombre sonoro, eufónico y original, que, todo hay que decirlo, a veces resulta algo estrafalario.

Curiosamente, esos porcentajes se invierten si hablamos de los primeros diez nombres, pues los de los varones suponen un 18,98 %, y los de las mujeres, un 20,01 %. La culpa la tiene esa polarización tan sorprendente en Lucía, María y Paula. El primero de estos tres ha sido impuesto nada menos que a un 3,19 % de las niñas. Quizás haya llegado el momento de abandonar una atracción tan sorprendente por esos nombres punteros, que acaparan un excesivo porcentaje del total.

Todavía podemos extraer más conclusiones, esta vez en cuanto a la longitud de los nombres. Los preferidos son cada vez más cortos; la prueba es que, entre los niños, la longitud media de los diez primeros es de 5,8 letras, algo inferior, 5 letras, en el caso de las niñas. Es decir, que se prefiere claramente la brevedad, casi a veces sequedad, antes que la eufonía esdrújula. Ahí están Hugo, Sara, Alba e Iker en las primeras posiciones.

Otra curiosa propiedad es la tendencia hacia la letra *a*, natural en los nombres femeninos (una cuestión de terminación), también en los masculinos. Entre estos, los primeros diez nombres contienen, de promedio, una *a* cada uno, fenómeno que no se da con ninguna otra vocal. Entre las mujeres, como era de esperar, el promedio sube a 1,7. De hecho, todos, salvo Irene, terminan con esa letra.

En fin, un último comentario para los amantes de las etimologías. Entre los diez primeros nombres de varones impuestos sólo uno es netamente hispano (Javier, vasco) y otro germánico (Hugo). Los restantes se reparten entre latinos, griegos y hebreos. Los femeninos proceden todos de estas últimas tres fuentes.

Uso del diccionario

No quedaría completa esta obra si no ofreciéramos un catálogo de nombres con sus descripciones. Pero no se trata de intentar meterse en la fuente inagotable de todos los que se usan en la sociedad de habla castellana, tarea imposible y a la que pueden ayudar los numerosos diccionarios al uso, o incluso las listas interminables de internet. Hemos tomado como punto de partida los cien nombres masculinos y los cien femeninos vistos en el apartado anterior, y los hemos ampliado ligeramente con algunos muy usuales u otros relacionados con ellos cuyas características ayudarán a entenderlos.

Esta es una entrada tipo del diccionario:

Carlos/Carla

Sexo m./f.
Onom. Carlos Borromeo, ob., ca., 4 de noviembre
Cat. *Carles/Carla*
Eus. *Xarles, Karla, Karol/Karle*
Gall. *Carlos, Calros/Carla, Calra*

Procede de una antigua palabra teutona que designa la clase inferior de los hombres libres; luego se degradó aún más y fue aplicada a los siervos...

Personajes famosos
Carl Friedrich Gauss (1777-1855), matemático alemán; *Carl Lewis* (1961), atleta estadounidense; *Carl Orff* (1895-1982), compositor bávaro.

En primer lugar y en negrita, aparece el nombre (Carlos). A continuación, el sexo: *m.*, si es masculino; *f.*, si es femenino; *m./f.* se utiliza cuando aparecen las formas masculina y femenina, y *m.* + *f.* indica que el nombre sirve tanto para hombres como para mujeres. Después, la onomástica. Las siguientes tres casillas ofrecen los nombres en catalán, euskera y gallego, respectivamente; en caso de entradas que en castellano tienen forma masculina y femenina *(m./f.)* pero en catalán, euskera o gallego sólo una de ellas, se usa la barra como sigue: pospuesta al masculino *(m./)*, si no hay forma femenina, y antepuesta al femenino *(/f.)*, si no hay forma masculina. A continuación, se realiza la descripción histórica y etimológica del nombre, acompañada de las circunstancias que se han considerado más apropiadas para cada uno;

100

incluye las variantes y formas hipocorísticas, es decir, las usadas en el entorno familiar (Pepe por José, Lola por Dolores). Por último, el apartado «Personajes famosos» incluye una relación de personajes destacados que han llevado ese nombre (salvo cuando se desconocen).

Abreviaturas y símbolos

ab.:	*abad*
al.:	*alemán*
ap.:	*apóstol*
ca.:	*circa (aproximadamente)*
cat.:	*catalán*
cf.:	*compárese*
dr.:	*doctor (de la Iglesia)*
eus.:	*euskera*
fr.:	*francés*
gall.:	*gallego*
gr.:	*griego*
heb.:	*hebreo*
in.:	*inglés*
it.:	*italiano*
lat.:	*latín*
mr.:	*mártir*
ob.:	*obispo*
onom.:	*onomástica*
pa.:	*padre (de la Iglesia)*
pr.:	*presbítero*
re.:	*rey, reina*
s.:	*siglo*
s/o:	*sin onomástica*
s. c. c.:	*suele celebrarse como*
v.:	*véase*
vg.:	*virgen*
†:	*fallecido (junto al nombre del personaje)*

AARÓN/AARONA

Sexo m./f.
Onom. 1 de julio
Cat. *Aaró, Aaron/Aarona*
Eus. *Aron/Arone*
Gall. *Aarón/Aarona*

Nombre hebreo, aunque probablemente tenga origen egipcio. Se han propuesto multitud de interpretaciones para su significado: «luz, iluminado, montañés, alto, instructor». Prácticamente sólo es usado en países anglosajones. Variante: Aharón.

Personajes famosos
Aarón, en la Biblia, el hermano de Moisés; *Aaron Spelling* (1923-2006), productor estadounidense de televisión; *Aaron Burr* (1756-1836), vicepresidente de Estados Unidos.

ABRIL/ABRILIA

Sexo m./f.
Onom. s/o
Cat. *Abril/Abrília*
Eus. *Jorrail/Jorrail*
Gall. *Abril/Abrila*

Era costumbre de los antiguos romanos asignar como nombre a un recién nacido el del mes en curso. Uno de los más populares era Abril, de *aprire*, «abrir», refiriéndose al inicio del buen tiempo con la llegada de la primavera. Hoy es más frecuente como apellido. Variante: Abrilio/Abrilia.

ADALBERTO/ADALBERTA

Sexo m./f.
Onom. 25 de junio
Cat. *Adalbert/Adalberta*
Eus. *Adalberta/Adalberte*
Gall. *Adalberto/Adalberta*

Nombre germánico, compuesto de *athal*, «noble», y *berht*, «brillante, famoso», es decir, «famoso por la nobleza» (v. *Adela* y *Berta*). Se trata de uno de los nombres de origen germánico más extendidos, como prueba la enorme cantidad de equivalentes y derivados que existen: Adelberto, Alaberto, Alberto (v.), Aldaberto, Auberto, Edelberto, Etelberto, Oberto.

Personajes famosos
San Adalberto d'Egmond (s. VIII), misionero de los frisones; *Adalberto* (s. XI), arzobispo de Bremen; *Adalbert von Chamisso* (1781-1828), escritor alemán.

ADÁN/ADANA

Sexo m./f.
Onom. 16 de mayo
Cat. *Adam/*
Eus. –
Gall. –

Nombre del primer ser humano, según el Génesis. En hebreo *adam* significa, literalmente, «terrifacto», en alusión a su origen fangoso, relacionado con el color de la arcilla (*adamah*, «rojo»). Otros intérpretes ven simplemente el significado de «hombre». Popular en la Edad Media, este nombre decayó posteriormente, hasta ser rescatado en los países anglosajones.

Personajes famosos
Adán, en la Biblia, padre del género humano, primer hombre; *San Adán* († 1212), ermitaño en Fermo; *Adam Mickiewicz* (1798-1855), poeta polaco; *Adam Smith* (1723-1790), economista escocés; *Adán Cárdenas* (1836-1916), presidente de Nicaragua entre 1883 y 1887.

ADELAIDO/ADELAIDA

Sexo m./f.
Onom. 16 de septiembre
Cat. *Adelaid, Alaid/Adelaida, Alaida*
Eus. –
Gall. *Adelaido/Adelaida*

Del germánico *adelheid*, «de estirpe noble» (*athal*, «noble»; v. *Adela*); *heid*, «casa», y, por extensión, «estirpe, clase» (v. *Enrique*; cf. con el *heit* alemán o el *hood* inglés).

Semánticamente equivale a Adelino. El portador más famoso de este nombre no es una persona, sino una ciudad, capital del estado de Australia meridional, fundada en 1836 en honor de la «buena reina Adelaida», esposa de Guillermo IV de Inglaterra. Variante: Adelasia.

Personajes famosos
Adelaida Zamudio (1854-1928), poetisa y novelista boliviana; *Adélaïde Gavaudan* (1762-1817), cantante francesa; *Adelaida García Morales* (1946), novelista española.

ADELIO/ADELA

Sexo m./f.
Onom. 24 de diciembre
Cat. *Adeli/Adela*
Eus. *Adela/Adele*
Gall. *Adelio/Adela*

Entre la familia de compuestos germánicos formados a partir de *ald*, «viejo, caudillo» (cf. ing. *old* y al. *alt*), figura *athal*, «noble», presente aquí como nombre con virtualidad propia, pero usado también como hipocorístico de otros con el mismo componente: Adelaida, Adeltrudis... Recientemente se ha popularizado, pese a algún desagradable ripio («mortadela»). La Tierra Adelia, en la zona antártica, fue bautizada así en 1840 por el explorador francés Dumont-Durville en honor de su esposa Adelia. Variantes: Adelia, Adelina, Adila, Edel, Edelia, Ethel; esta última forma es moderna. Son usadas a veces como equivalentes otras formas que en realidad son nombres distintos: Aleta, Aleteia, Alicia, Alina, Delia.

Personajes famosos
Santa Adela († 734), abuela de Gregorio de Utrecht y fundadora del

monasterio de Pfalzel; *Adela Dalto* (1952), cantante estadounidense de jazz latino; *Adele Faccio* (1920-2007), política italiana; *Adèle Filleul* (1761-1836), escritora francesa.

ADOLFO/ADOLFA

Sexo m./f.
Onom. 11 de febrero
Cat. *Adolf/Adolfa, Adolfina*
Eus. *Adolba/Adolbe*
Gall. *Adolfo/Adolfa*

En traducción libre, significa «guerrero noble». Por el germánico *athal*, «noble» (v. *Adela*), y *wulf*, «lobo», animal sagrado en las mitologías germánicas, se le atribuye el significado figurado de «guerrero». Muy popular en los países del norte de Europa, ha caído en desuso desde Adolf Hitler. Son formas derivadas Ataúlfo y Adulfo.

Personajes famosos
San Adolfo († 1224), cisterciense y obispo de Osnabrück; *Adolf Hitler* (1889-1945), político alemán; *Adolfo Suárez González* (1932), presidente del Gobierno español de 1976 a 1981.

ADRIÁN/ADRIANA

Sexo m./f.
Onom. 1 de marzo
Cat. *Adrià/Adriana*
Eus. –
Gall. *Adrán, Adrián, Adrao/Adriana*

Gentilicio de la localidad de Adria o Hadria, que, en tiempos del Imperio romano, era un puerto del mar Adriático, al que dio nombre; los acarreos fluviales la han situado hoy 20 km tierra adentro.

El topónimo procede del latín *ater*, «sombrío, negro como el carbón».

El emperador Adriano, constructor de una famosa muralla en Inglaterra, popularizó el nombre. Variantes: Adriano, Adrión, Hadrián.

Personajes famosos
Adrià Gual (1872-1943), autor dramático, director de escena, pintor y pedagogo catalán; *Adriano Celentano* (1938), actor y cantante italiano; *Adriano del Valle* (1895-1957), poeta vanguardista español.

ÁFRICO/ÁFRICA

Sexo m./f.
Onom. 5 de agosto
Cat. */Àfrica*
Eus. */Aprika*
Gall. */Africa*

El nombre del continente africano, conocido desde los tiempos más remotos, ha dado lugar a abundantes especulaciones sobre su origen y significado: del griego *aprica*, «expuesto al sol», o de *aphriko*, «sin frío, cálido»... o por la tribu *aourigha*, una de las primeras que entró en contacto con Roma. En cualquier caso, se ha popularizado en España especialmente a través de la Virgen de África.

Personajes famosos
África Abreu (1973), modelo española.

AGUSTÍN/AGUSTINA

Sexo m./f.
Onom. 28 de agosto
Cat. *Agustí/Agustina*
Eus. *Auxtin, Saustin, Xaxtin/Austina, Austiñe, Austiza*
Gall. *Agostiño/Agostiña*

En latín, *Augustus* («consagrado por los augures») fue siempre un nombre ilustre en Roma. Dignificado al máximo con Octavio Augusto, primer emperador romano, llegó a convertirse en un título más, expresivo de la dignidad imperial.

Gentilicio suyo es *Augustinus* («de la familia de Augusto»), de donde se originó Agustín.

La forma femenina ganó fama gracias a Agustina de Aragón, heroína de la Guerra de la Independencia.

Personajes famosos
San Agustín de Hipona (354-430), padre de la Iglesia latina; *San Agustín de Canterbury* († 640), evangelizador de Inglaterra; *Agustina Saragossa i Domènec (Agustina de Aragón)* (1786-1857), heroína catalano-aragonesa; *Agustín García Calvo* (1926), intelectual y poeta español.

AIMAR

Sexo m./f.
Onom. 5 de octubre
Cat. *Aimar/Aimara*
Eus. –
Gall. –

Del germánico *heim-hard*, «casa fuerte»: heim, «casa», (v. *Enrique*); *hard*, «fuerte». Nombre con numerosas variantes: Aimario/Aimaria, Aimaro/Aimara.

AINARA

Sexo f.
Onom. s/o
Cat. –
Eus. –
Gall. –

Nombre vasco, originario de Vizcaya. No tiene traducción en ninguna de las otras lenguas peninsulares. Posiblemente está relacionado con *aintza*, «gloria, honor».

AINO/AINA

Sexo m./f.
Onom. Como Ana
Cat. –
Eus. –
Gall. –

Forma balear de Ana. También es un nombre finés, relacionado con el término germánico *iv*, que significa «glorioso».

Personajes famosos
Aina Moll, escritora y política mallorquina (1930); *Aino*, muchacha que aparece en el poema finés *Kalevala*.

Aɪɴᴏᴀ

Sexo f.
Onom. Lunes de Pentecostés
Cat. *Ainoa*
Eus. *Ainoa, Ainhoa*
Gall. –

Nombre de la Virgen de un santuario situado en la localidad homónima del País Vasco.

El significado de este nombre nos resulta desconocido hoy en día. Una variante antigua sería: Ainhoa.

Personajes famosos
Ainhoa Arteta (1962), cantante de ópera española.

Aɪᴛᴀɴᴀ

Sexo f.
Onom. Como Gloria
Cat. *Aitana*
Eus. –
Gall. –

Nombre vasco femenino, originado por la deformación de Aintzane, forma vasca de Gloria (v. *Ainara*).

Personajes famosos
Aitana Sánchez-Gijón (1968), actriz española.

Aɪᴛᴏʀ

Sexo m.
Onom. s/o, s. c. c. Atón, el 22 de mayo
Cat. –
Eus. –
Gall. –

De enorme popularidad en el País Vasco, en realidad es de creación muy reciente: en 1845 Agustín Chao publicó en la revista *Ariel*, de Bayona, una leyenda donde el bardo Lara cantaba las glorias de Aitor, «el primer nacido entre los éuscaros». Se inspiró en la voz vasca *aita*, «padre», y el germánico *athal*, «noble». En el año 1879 Francisco N. Villoslada retomó el nombre para su novela *Amaya*.

Personajes famosos
Aitor, protagonista de la leyenda de Agustín Chao.

Aʟá

Sexo m.
Onom. s/o
Cat. *Al·là*
Eus. –
Gall. –

Nombre que dan a Dios los musulmanes. De *allah*, «alto, elevado, sublime, excelso», que, a su vez, procede de *al-Ilah*, literalmente «lo alto, la divinidad», capitalizado en Allah, «Dios», palabra que aparece en multitud de lenguas con formas parecidas, por ejemplo en la germánica: *heah*, de donde provienen el inglés *high* y el alemán *heil* (v. *Helga*).

Pese a considerarse irreverente el uso de Dios como nombre entre los cristianos, Alá ha ganado últimamente en popularidad.

ALBA

Sexo f.
Onom. 14 de mayo; en Manresa, 15 de agosto
Cat. *Alba*
Eus. –
Gall. *Alba*

Aunque siempre ha existido la Virgen del Alba, el nombre ha alcanzado una difusión extraordinaria sólo en los últimos años. Proviene del latín *albus*, «blanco», de donde procede «el alba, la aurora», por contraste con la oscuridad nocturna. Son sinónimos los nombres Aurora (v.) y Helena (v.).

ALBERTO/ALBERTA

Sexo m./f.
Onom. 15 de noviembre
Cat. *Albert/Alberta*
Eus. *Alberta/Alberde*
Gall. *Alberte, Alberto/Alberta*

Se trata de la variante más difundida de Adalberto, que ha superado en popularidad a la forma

original. Es un nombre de origen germánico, derivado de *athal*, «noble» (v. *Aldo*) y *berht*, «famoso». Formas femeninas: Alberta, Albertina, nombre de la famosa heroína de Marcel Proust en su heptalogía *En busca del tiempo perdido*.

Personajes famosos
Albert Camus (1913-1960), escritor francés; *Albert Einstein* (1879-1955), físico alemán; *Albert Pérez i Baró* (1902-1989), escritor y sindicalista catalán; *Alberto Moravia (Alberto Pincherle)* (1907-1990), escritor italiano.

ALDO/ALDA

Sexo m./f.
Onom. 18 de noviembre
Cat. *Ald/Alda*
Eus. –
Gall. *Aldo/Alda*

El germánico *ald* o *eld* es una aféresis de *gald* o *gamald*, adjetivo alusivo al color blanco (*alb*) y, por analogía, al del pelo. Así, el sentido de «crecido, viejo, mayor» se convierte, por analogía, en «importante, caudillo, noble» (cf. ing. *old* y al. *alt*). Interviene como componente en numerosos nombres germánicos. Es muy popular en Italia e Inglaterra.

Personajes famosos
Aldo Manuzio, el Viejo (1449-1515), humanista y editor italiano; *Aldous*

Huxley (1894-1963), escritor inglés; *Aldo Moro* (1916-1978), político italiano; *Aldo Fabrizi* (1905-1980), actor italiano.

ALEJANDRO/ALEJANDRA

Sexo m./f.
Onom. 26 de julio; Alejandro I, pa., mr.: 5 de mayo
Cat. *Alexandre/Alexandra*
Eus. *Alesander/Alesandere*
Gall. *Alexandre, Alexandro Alexandra*

En la mitología griega Alejandro era un sobrenombre de Paris, encargado de proteger las tropas contra los ladrones, lo que explica la etimología del nombre: *alexo-andros*, «el que rechaza al hombre», es decir, al adversario. Su universalidad se deriva fundamentalmente de Alejandro Magno (s. IV a. de C.), creador de uno de los mayores imperios de la historia, cantado en la Edad Media en un célebre romance compuesto en versos alejandrinos.

Personajes famosos
Alejandro Lerroux García (1864-1949), político republicano andaluz; *Alejandro Magno* (¿356?-323 a. de C.), caudillo macedonio; *Alexander Fleming* (1881-1955), bacteriólogo británico; *Alexander von Humboldt* (1769-1859), naturalista y geógrafo alemán; *Alexandre Dumas* (1803-1870), novelista y dramaturgo francés; *Alexander Graham Bell* (1847-1922), físico e inventor esta-

dounidense de origen escocés; *Alexandre-Gustave Eiffel* (1832-1923), ingeniero francés.

ÁLEX/ALEXIA

Sexo m./f.
Onom. Como Alejandro
Cat. *Àlex/Alèxia*
Eus. –
Gall. –

Forma derivada de Alejo (también el ruso *Alexis*), nombre de un santo que llegó virgen al matrimonio, y este, a su vez, de Alejandro (v.). También es derivación directa del griego *a-lexios*, «defensor». Ha devenido muy popular la forma catalana Aleix, que figura en el listado de los primeros cien nombres de 2008.

Personajes famosos
Alexis Kossygin (1904-1980), político soviético; *Álex de la Iglesia* (1965), director de cine y guionista español; *Àlex Crivillé* (1970), motociclista catalán; *Àlex Corretja* (1974), tenista catalán.

ALFONSO/ALFONSA

Sexo m./f.
Onom. 1 de agosto
Cat. *Alfons, Amfós/Alfonsa, Amfosa*
Eus. *Albontsa/Albontse*
Gall. *Afonso/Afonsa*

Nobre germánico compuesto por el nominativo *hathus, hilds*, «lucha combate, pugna», *all*, «todo, total», y *funs*, «preparado, rápido», *hathus-all-funs* significa «guerrero totalmente preparado para el combate».

Es el nombre más repetido en las casas reales españolas. Variantes: Alonso (hoy más usado como apellido), Ildefonso. Forma femenina: Alfonsa, aunque es más utilizada la moderna Alfonsina.

Personajes famosos
Alfonso Capone (Al Capone) (1897-1947), gánster estadounidense; varios reyes de España: *Alfonso XII* (1857-1885) y *Alfonso XIII* (1886-1941); *Alphonse de Lamartine* (1790-1869), poeta y novelista francés; *Alfonso Guerra* (1940), político español.

ALFREDO/ALFREDA

Sexo m./f.
Onom. 28 de octubre
Cat. *Alfred/Alfreda*
Eus. *Alperda/Alperde*
Gall. *Alfredo/Alfreda*

Del germánico *athal-frid*, «pacificador noble» (formado por *athal*, «noble» —v. *Adela*—, y *fridu*, «paz, pacífico, pacificador»), es un nombre muy extendido en todas las épocas.

Variantes: Aldofrido, Alefrido, Alfrido.

Por similitud fonética, se usó como tal el egipcio Farida (*Al-farid*, «la incomparable»).

Personajes famosos
Alfred Dreyfus (1859-1935), oficial del ejército francés, implicado en el caso Dreyfus; *Alfred Hitchcock* (1899-1980), director de cine inglés; *Alfred Nobel* (1833-1896), químico e industrial sueco; *Alfred Sisley* (1839-1899), pintor francés; *Alfredo Kraus* (1927-1999), tenor español; *Alfredo Di Stefano* (1927), futbolista argentino-español; *Alfredo James Pacino (Al Pacino)* (1940), actor estadounidense.

ALICIA

Sexo f.
Onom. 5 de febrero
Cat. *Alícia*
Eus. *Alize*
Gall. *Alicia*

Se trata de un verdadero microcosmos onomástico, por la diversidad de corrientes que concurren en este nombre. Por una parte, el germánico *Adalheidis* (v. *Adelaida*), a través de las sucesivas contracciones *Adalis* y *Aalis*. Por otra, el griego *alethos*, «real, verdadero, sincero». Pero, además, por similitud fonética, fue identificado posteriormente con variantes de Eloísa y Adela. Ello explica su universal popularidad, consagrada por el famoso personaje de Lewis Carroll.

Empieza a introducirse en España su variante inglesa Alison. Variantes: Aleta, Aleteia, Aleth, Alina, Altea.

Personajes famosos
Alice Liddell, protagonista de las novelas *Alicia en el país de las maravillas* y *Alicia a través del espejo*, de Lewis Carroll.

ÁLVARO/ÁLVARA

Sexo m./f.
Onom. 19 de febrero
Cat. *Àlvar/Àlvara*
Eus. *Albar, Elbar/*
Gall. *Álvaro/Álvara*

Nombre germánico, identificado con Alberico; probablemente procede del germánico *all-ward*, «totalmente sabio, precavido». Fue muy popular en Castilla en la Edad Media y la Edad Moderna. Se asimila a Alberico. Variantes: Alvar, Alvero.

Personajes famosos
Alvar Núñez Cabeza de Vaca (1507-1559), explorador y conquistador castellano; *Álvaro Cunqueiro* (1911-1981), escritor gallego; *Álvaro de Figueroa* (1663-1950), político castellano; *Álvaro Mutis* (1923), escritor colombiano.

AMPARO

Sexo f.
Onom. segundo sábado de mayo
Cat. *Empar*
Eus. *Itzal, Babesne*
Gall. *Amparo*

Nombre muy popular en toda España, pero especialmente en el País Valenciano, de cuya capital es patrona la Virgen de los Desamparados.

Procede del latín *manuparare*, «tender la mano, proteger» (cf. con la terminación germánica *-mund*, «protección», presente en nombres como Edmundo y Segismundo).

Otros nombres sinónimos son: Albercio, Elmo, Egidio, Munda, Patrocinio.

Personajes famosos
Amparo Dávila (1928), poetisa mexicana; *Amparo Larrañaga* (1959), actriz española; *Amparo Rivelles* (1925), actriz española.

ANDRÉS/ANDREA

Sexo m./f.
Onom. 30 de noviembre
Cat. *Andreu/Andrea*
Eus. *Ander/Andere, Andrekina, Andrekiña*
Gall. *André, Andrés/Andreia*

Del griego *andros*, «hombre, viril, valiente», así se llamaba uno de los apóstoles, cuyo martirio dio nombre a la cruz en forma de X. Este significado, sin embago, no ha impedido su éxito entre el sexo femenino.

De este onomástico procede la voz inglesa *dandy*, que en sus orígenes era únicamente un diminutivo del mismo. Aunque en los últimos años su popularidad ha declinado, sigue siendo uno de los nombres más universalmente extendidos. Comparte significado con Arsenio, Carlos, Marón, Favila, Virilio. Formas femeninas: Andrea, Andreína, Andresa.

Personajes famosos
Andie MacDowell (1958), actriz estadounidense; *André Agassi* (1970), tenista estadounidense; *André Breton* (1896-1966), poeta surrealista francés; *André Malraux* (1901-1976), escritor y político francés; *Andreas Papandreu* (1919), político y economista griego; *André-Marie Ampère* (1775-1836), físico francés; *Andy García* (1956), actor estadounidense de origen cubano; *Andy Warhol* (1928-1987), artista y cineasta estadounidense de origen checo.

ÁNGEL/ÁNGELA

Sexo m./f.
Onom. 5 de marzo
Cat. *Àngel/Àngela*
Eus. *Aingeru, Angelu, Gotzon/Gotzone, Angelu*
Gall. *Anxo, Ánxelo/Ánxela*

El nombre, inicialmente usado en Bizancio (del gr. *aggelos*, «mensajero», inspirado en los relatos bíblicos), trascendió a todos los países cristianos, originando multitud de derivados: Ángelo, Ángeles (en realidad, variante de María de los Ángeles), Angélica, Angelina, Angelines. Y ha dado nombre incluso a una populosa ciudad de California, en Estados Unidos.

Comparte el significado con Hermes, Malaquías, Nuncio y Telesforo.

Personajes famosos
Ángel Ganivet (1865-1898), escritor español; *Àngel Guimerà* (1845-1924), dramaturgo y poeta catalán de origen canario; *Ángel Nieto* (1957), motociclista español; *Ángela Molina* (1955), actriz española; *Miguel Ángel (Michelangelo Buonarotti)* (1475-1564), artista italiano del Renacimiento.

ANO/ANA

Sexo m./f.
Onom. 26 de julio
Cat. *Anni/Anna, Agna, Aina*
Eus. *Ani/Ane, Ana, Anuska, Anatxo*
Gall. *Ano/Ana*

Del hebreo *hannah*, «benéfica, compasiva», coinciden en significado con Abderramán, Misericordia, Mercedes, Pantaléemon, Bonifacio y Factor. En la Biblia, Ana es la esposa estéril de Elkanah que, por la «gracia» *(hannah)* de Dios, da a luz a Samuel. En los evangelios apócrifos pasa a ser madre de María, «llena de gracia» en la salutación del ángel. Su compuesto Ana María, hoy renacido (cat. *Anna Maria*), es quizás uno de los compuestos femeninos más famosos, especialmente usado en los años cuarenta del siglo pasado; destilaba distinción y españolidad, como la protagonista de los tebeos de *El guerrero del antifaz*. La forma euskera, *Ane*, ha escalado últimamente en los *rankings* de popularidad. No hay que confundirlo con el latín *Ana* o *Ania*, en la *Eneida* de Virgilio. Ana es uno de los nombres más universalmente utilizados; escritoras, reinas y princesas de todos los países lo han llevado. La forma masculina, Ano, sólo se usa en México.

Derivaciones: Anabel, Anabela, Anabella, Anita, Anaís.

Personajes famosos
Ana Belén (María Pilar Cuesta) (1951), actriz y cantante castellana; *Ana Bolena* (1507-1536), reina de Inglaterra, segunda mujer de Enrique VIII; *Ana de Austria* (1549-1580), reina de España, esposa de Felipe II; *Ana María Matute* (1926), novelista española y miembro de la Real Academia Española; *Anita Ekberg* (1931), actriz sueca; *Ano Floriano* († 276), emperador romano.

ANTONIO/ANTONIA

Sexo m./f.
Onom. Antonio de Padua (o Lisboa), pr., dr., 13 de junio; Antonio ab., 13 de junio; Antonio-María Claret, ob., 24 de octubre
Cat. *Antoni/Antònia*
Eus. Andon, Andoni, *Antxoni/Andone*, Antxone, Andoiza
Gall. *Antón/Antía*

La familia romana Antonius intentó explicar de muchas formas el origen de su nombre, al que atribuyó pintorescos significados: «el floreciente» (por el griego *anthos*, «flor»), «el enemigo de los burros» (*anti-onos*, «anti-asnos»), «el inestimable» (*anti-onios*, «sin precio, que no se puede comprar»), «el defensor» (*anteo*, «que se opone»)..., pero la realidad es que la voz es muy anterior, seguramente etrusca, y su significado se nos ha perdido quizá para siempre. Quedan, sin embargo, las tentativas expuestas como muestra poética y de imaginación popular. Innumerables santos y personajes célebres han llevado este nombre, como atestiguan sus numerosas variantes: Tonio, Toño, Antón.

Personajes famosos
Anthony Hopkins (1936), actor británico; *Anthony Mann* (1907-1967), director de cine estadounidense; *Anthony Perkins* (1923-1992), actor estadounidense; *Anthony Quinn (Manuel Antonio Pallarés)* (1915-2001), actor mexicano-estadounidense; *Antoine de Saint-Exupéry* (1900-1944), escritor y piloto francés; *Antoni de Capmany* (1742-1813), historiador, filólogo y político catalán; *Antoni Gaudí* (1852-1926), arquitecto catalán; *Antoni Rovira i Virgili* (1882-1949), escritor, historiador y político catalán; *Antoni Tàpies* (1923), pintor catalán; *Antoni Viladomat* (1678-1755), pintor catalán; *Antonio Banderas* (1960), actor español; *Antonio Buero Vallejo* (1916-2000), dramaturgo castellano;

Antonio Cánovas del Castillo (1828-1897), político y escritor andaluz-castellano; *Antonio Gala* (1936), escritor andaluz; *Antonio Machado* (1875-1939), poeta andaluz; *Antonio Stradivari* (¿1643?-1737), constructor de instrumentos de cuerda italiano; *Antonio Vivaldi* (1678-1741), violinista y compositor italiano; *Marco Antonio* (82-30 a. de C.), triunviro romano, amante de Cleopatra; *María Antonieta* (1755-1793), reina de Francia, esposa de Luis XVI.

ARIADNA

Sexo f.
Onom. 17 de septiembre
Cat. Ariadna
Eus. –
Gall. –

Procede del griego *ari-adné*, «muy santa». El uso de este nombre está hoy en fuerte apogeo, y a menudo se confunde con Ariana, de origen similar (de Ares, nombre griego del dios de la guerra, Marte para los romanos). Este procede de la latinización *(Arianus)* de Ario, a su vez derivación del nombre de Ares o Marte, dios de la guerra, y ha inspirado el nombre proustiano *Oriana*. Sinónimos: Santos, Helga, Panacea.

Personajes famosos
Ariadna, mitológica hija de Minos y Pasífae; *Santa Ariadna* (s. III), esclava en Asia Menor, mártir; *Ariadna Gil* (1969), actriz española; *Ariane Mnouchkine* (1939), directora de teatro francesa.

ARNALDO/ARNALDA

Sexo m./f.
Onom. 14 de marzo
Cat. *Arnald, Arnau, Arnall/Arnalda*
Eus. *Ellanda, Eñaut, Enaut, Arnot/ Ellande, Eñaute, Arnote*
Gall. –

Nombre germánico (*arin-ald*, «águila gobernante» o, figuradamente, «caudillo fuerte», por las virtudes simbólicas del águila), en desuso en la Edad Moderna y resucitado hoy (v. *Aldo*).

A veces se confunde con Arnulfo.

La forma catalana antigua Arnau goza de gran popularidad en los últimos años por alusión al Comte Arnau, figura emblemática del folclore catalán.

Variante: Arnoldo. Forma antigua: Arnaldos.

Personajes famosos
Conde Arnaldos (¿1240?-1311), personaje del Romancero español; *Arnau de Vilanova* (¿1238?-1311), médico, reformista espiritual y escritor catalán.

AROA

Sexo f.
Onom. 5 de julio
Cat. *Aroa*
Eus. *Aroa, Aroia*
Gall. –

Nombre germánico, resucitado en los últimos tiempos tras un

largo periodo de olvido. Procede de la voz *ara*, que significa «de buena voluntad, bueno».

ARTURO/ARTURA

Sexo m./f.
Onom. 1 de septiembre
Cat. *Artur/Artura*
Eus. *Artur/*
Gall. *Artur, Arturo/Artura*

Nombre antiquísimo, adoptado por la cultura griega e identificado por esta, por semejanza fonética, con *arktos-ouros*, «guardián de las osas» (por la estrella del mismo nombre de la constelación del Boyero, próxima a la Osa Mayor).

El rey Arturo o Artús, celtarromano que combatió a los invasores sajones en el siglo v, dio lugar a la famosa leyenda de los caballeros de la Tabla Redonda.

A raíz de ello, la popularidad del nombre no ha cesado desde entonces.

Personajes famosos
Arthur (Harpo) Marx (1893-1964), actor estadounidense; *Arthur Conan Doyle* (1859-1930), novelista escocés; *Arthur Miller* (1915-2005), dramaturgo estadounidense; *Arthur Rimbaud* (1854-1891), poeta francés; *Arthur Schopenhauer* (1788-1860), filósofo alemán; *Arthur Wellesley* (1769-1852), duque de Wellington, militar y político británico; *Arturo Pérez-Reverte* (1951), periodista y escritor español.

ASIER

Sexo m.
Onom. –
Cat. *Asier*
Eus. –
Gall. –

Deformación de Asuero, nombre que se toma de la transcripción griega *(Ahashverosh)* del persa *Khshajarsha*, o *Jerjes*, rey de Persia (s. v a. de C.), nombrado en el Libro de Ester.

Personajes famosos
Asier Gómez Etxeandia (1975), actor vasco.

ASUNCIÓN

Sexo f.
Onom. 15 de agosto
Cat. *Assumpció*
Eus. *Jasone, Yasone, Eragon, Eragone*
Gall. *Asunción*

Popularísimo nombre hispano, inspirado en la conmemoración del Tránsito de la Virgen María, «asumida» por Dios (en latín *assumo*, «atraer hacia sí, asumir»). Se usa como equivalente la forma Asunta. Ha dado nombre a la capital de Paraguay.

Personajes famosos
Asunción Bastida (1902-1984), diseñadora de alta costura española; *Assumpta Serna* (1957), actriz española.

AURORA

Sexo f.
Onom. 8 de septiembre
Cat. *Aurora*
Eus. *Goizane, Goizargi, Aurori*
Gall. *Aurora*

Del latín *aurora*, nombre de la diosa del alba (v. *Alba*), por el color dorado *(ab auro)* que acompaña la salida del sol. Variante: Orora.

Personajes famosos
Aurora Bautista (1925), actriz y cantante española; *Aurora de Albornoz* (1926-1990), poetisa y crítica literaria española; *Aurora la Beltrana*, personaje de la zarzuela *Doña Francisquita*, de Amadeu Vives; *Aurora Königsmark* (1662-1728), amante de Augusto, elector de Sajonia y posteriormente rey de Polonia; *Aurore Dupin*, novelista francesa.

AYA

Sexo f.
Onom. s/o
Cat. –
Eus. –
Gall. –

En realidad, es un topónimo, que se utiliza como nombre femenino por su brevedad y precisión nacional. Hace referencia a una localidad guipuzcoana, de significado desconocido. Este nombre está en auge últimamente, también en la forma Aia.

BEATRIZ

Sexo f.
Onom. 29 de julio
Cat. *Beatriu*
Eus. *Batirtze*
Gall. *Beatriz, Beta*

El latín *beatrix*, «beata, feliz, bienaventurada», usado en sentido religioso, adquirió una popularidad que no ha decrecido con los siglos. Derivado: Beata. Hipocorístico: Bea. Sinónimos: Dora, Ariadna, Helga.

Personajes famosos
Santa Beatriz († 304), mártir romana; *Beatrix Potter* (1866-1943), escritora e ilustradora británica de libros infantiles; *Beatriz Portinari* (¿1265?-1290), dama florentina, amada de Dante e inspiradora de *La divina comedia*; *Beatriz* (1938), reina de Holanda.

BEGOÑA

Sexo f.
Onom. 11 de octubre
Cat. *Begonya*
Eus. *Begoña*
Gall. *Begoña*

Nombre vasco popularísimo, compuesto por *beg-oin-a*, «lugar del cerro dominante», en referencia a la situación topográfica del santuario de la Virgen correspondiente. No tiene nada que ver con el nombre de la flor traída a Europa por el botánico Bégon (apelli-

do procedente del francés *bègue*,
«tartamudo»).

Personajes famosos
Begoña Aranguren (1969), periodista, esposa del escritor José Luis de Villalonga.

BELÉN

Sexo f.
Onom. 25 de diciembre
Cat. *Betlem*
Eus. *Ostatxu*
Gall. –

Procede del hebreo *bet-lehem*, «casa del pan» o «casa de Dios», que dio nombre a la localidad palestina situada a 8 km al sur de Jerusalén, la actual Beit-el-lahm, donde los Evangelios sitúan el nacimiento de Jesucristo.

Personajes famosos
Belén Rueda (1963), actriz y presentadora de televisión española; *Belén Gopegui* (1963), novelista española.

BENITO/BENITA

Sexo m./f.
Onom. 11 de julio; Benito de Nursia, patrón de Europa: 11 de julio (antes, 21 de marzo)
Cat. *Benet, Beneit/Beneta, Beneita*
Eus. *Benat, Beñat, Benoat/Donetsi*
Gall. *Bieito, Bento/Bieita, Benta*

Nombre de fuerte raigambre en el papado, simplificación del me-
dieval Benedicto, procedente del latín *benedictus*, «bendito», por *bene dico*, «decir bien (de alguien)». San Benito de Nursia ha sido declarado principal patrón de Europa.

Personajes famosos
Benito Pérez Galdós (1843-1920), escritor español; *Benito Mussolini* (1883-1945), político italiano; *Benny Goodman* (1909-1986), músico estadounidense; *Benita Ferrero-Waldner* (1947), política austriaca.

BENJAMÍN/BENJAMINA

Sexo m./f.
Onom. 31 de marzo
Cat. *Benjamí/Benjamina*
Eus. *Benkamin/Benkamiñe*
Gall. *Benxamin/Benxamina*

Es el nombre del duodécimo hijo de Jacob, cuyo alumbramiento costó la vida a su madre Raquel. El padre cambió el nombre inicial que aquella le impuso, Benoni (de *ben-onin*, «hijo de mi dolor»), por *Ben-jamin*, «hijo de la mano derecha», o sea, «hijo predilecto». Y, en efecto, el nombre ha pasado a designar genéricamente el último y predilecto hijo de una serie de hermanos. El Benjamín más célebre del mundo es un reloj... el Big Ben inglés.

Personajes famosos
Benjamín, último hijo de Jacob en la Biblia (Gén 35, 18); *Benjamin Dis-*

raeli (1804-1881), político inglés; *Benjamin Franklin* (1706-1790), físico y político estadounidense; *Benjamin Harrison* (1833-1901), presidente de Estados Unidos.

BERENICE

Sexo f.
Onom. 4 de octubre
Cat. *Bereniç*
Eus. –
Gall. –

Procede de la forma macedonia del griego *Phereníke*, «portadora de victoria», asimilado posteriormente a Verónica. Es sinónimo de Nicéforo, nombre formado con los mismos componentes, pero en orden inverso. V. también *Verónica*.

Personajes famosos
Berenice, hija de Herodes Agripa; *Berenice* (s. ı a. de C.), princesa judía de la Idumea, hermana de Herodes el Grande; *Berenice*, seudónimo de Claire Rayner (1931), escritora y periodista británica.

BERNARDO/BERNARDA

Sexo m./f.
Onom. 20 de agosto
Cat. *Bernard, Bernat/Bernarda, Bernada*
Eus. *Beñardo, Bernarta, Bernat/Benate*
Gall. *Bernal, Bernaldo/Bernalda*

Del germánico *berin-hard*, «oso fuerte», este nombre se asocia a unos célebres perros que auxilian a las personas extraviadas en la montaña, por San Bernardo de Mentón, fundador de un asilo alpino. Derivados: Bernardino, Bernardita o Bernardette (célebre por la santa Bernadette Soubirous, a quien se le apareció la Virgen en Lourdes). Últimamente goza de gran popularidad la forma catalana *Bernat*.

Personajes famosos
San Bernardo (1091-1153), padre de la Iglesia; *Boris* (o *Bernardo*) *Godunov* (¿1552?-1605), príncipe y zar de Rusia; *Bernd Schuster* (1959), futbolista alemán; *Bernardo Bertolucci* (1941), guionista y director de cine italiano; *Bernat Picornell* (1883-1970), deportista catalán; *Bernarda Alba*, protagonista de la tragedia póstuma homónima de Federico García Lorca (1898-1936); *Bernardo del Carpio*, héroe legendario de la épica hispánica.

BERTO/BERTA

Sexo m./f.
Onom. 15 de mayo
Cat. *Berto/Berta*
Eus. –
Gall. *Berto/Berta*

Nombre derivado de la palabra germánica *berht*, «brillante, famoso», presente en bastantes nombres: Alberto, Roberto, Rigoberto... Está muy extendido, especialmente en Francia y Alemania. Su portador más célebre fue un cañón de la primera guerra mundial, el más potente jamás fabricado, con el que los alemanes bombardearon París; fue bautizado así en honor de la hija de Hans Krupp. El significado «famoso» está presente en innumerables antropónimos, como por ejemplo Aglaia, Clío, Eulampio, Gloria, Policleto. Este nombre se utiliza también como hipocorístico de otros con la misma terminación. Con el tiempo, una vez olvidado su significado inicial, el sufijo -ert, como ocurre con otras terminaciones, ha acabado siendo un mero antroponimizador masculino (v. *Enrique, Fernando* y *Aldo*). Derivados: Bertila, Bertín, Bertino, Bertibla.

Personajes famosos
Santa Berta († 725), monja de Artois; *Berta von Suttner* (1843-1914), escritora pacifista austriaca, premio Nobel de la Paz en 1905; *Berthe Morisot* (1841-1895), pintora francesa impresionista; *Bertín (Roberto) Osborne*, cantante y *showman* español.

BLANCO/BLANCA

Sexo m./f.
Onom. 5 de agosto
Cat. /*Blanca*
Eus. /*Zuria, Zuriñe*
Gall. /*Branca*

Del germánico *blank*, «blanco, brillante» (sinónimo de Alba, Ar-gentino, Berta, Fedro, Roxana), fue muy popular en la Edad Media en Castilla, de donde pasó a Francia e Inglaterra.

En la actualidad este nombre conoce un auge renovado, sobre todo la variante femenina. A menudo es considerado equivalente a Blando/Blanda. La forma Blanda (cat. *Bla/Blana*) es también muy popular; procede del adjetivo latino *blandus*, y este, a su vez, del griego *blax*, que significa «suave, blando, delicado, amoroso», pero para muchos es una simple variante de Blanco/Blanca.

Personajes famosos
Blanca de los Ríos (1862-1956), escritora española; *Blanca Fernández Ochoa* (1963), esquiadora española; *Blanca I* (1385-1441), reina consorte de Sicilia y reina de Navarra; *Blanca Álvarez* (1931-2000), periodista española y presentadora pionera de televisión.

BORJA

Sexo m.
Onom. 10 de octubre
Cat. *Borja*
Eus. –
Gall. *Borja*

Abreviatura de Francisco de Borja. De la casa de los Borja surgieron, entre otros personajes, el papa Alejandro VI y San Francisco de Borja. Procede del catalán *borja*, «cabaña». En italiano fue escrito como Borgia, forma con la que ha regresado a España.

Personajes famosos
San Francisco de Borja (1510-1572), virrey de Cataluña, que, tras la visión de la enfermedad y la muerte, cambió los honores de este mundo por la disciplina de la Compañía de Jesús.

BRUNO/BRUNA

Sexo m./f.
Onom. 6 de octubre
Cat. *Bru/Bruna*
Eus. *Burnon, Burna/Burne*
Gall. *Bruno/Bruna*

Nombre germánico; no procede, como podría parecer a primera vista, de *brun*, «rojo, moreno», sino de *prunja*, «peto, coraza», que entra en la formación de otros muchos nombres: Brunardo, Burcardo...

Puede traducirse como «arma, guerrero». Diminutivo italiano: *Brunello*.

Personajes famosos
Bruno (ss. X-XI), primo y colaborador del emperador Otón III; *San Bruno* († 1045), obispo de Wörzburg; *Bruno Bettelheim* (1903-1990), psiquiatra estadounidense de origen austriaco; *Bruno Madrena* (1920-1973), compositor italiano; *Bruno Walter* (1876-1962), director de orquesta alemán; *San Bruno de Colonia* (1035-1101), fundador de los cartujos.

CANDELARIA

Sexo f.
Onom. 2 de febrero
Cat. *Candela, Candelera*
Eus. –
Gall. *Candela, Candeloria*

Advocación mariana alusiva a la Purificación, en cuya fiesta se celebran procesiones con candelas encendidas (en latín *candella*, «vela, candela», de *candeo*, «quemar, arder»). De gran fama en las islas Canarias, en la península se usan con más frecuencia las variantes Candela o Candelas.

Personajes famosos
Candela Peña (1966), actriz española.

CARLOS/CARLA

Sexo m./f.
Onom. Carlos Borromeo, ob., ca., 4 de noviembre
Cat. *Carles/Carla*
Eus. *Xarles, Karla, Karol/Karle*
Gall. *Carlos, Calros/Carla, Calra*

Este nombre procede de una antigua palabra teutona que designaba la clase inferior de los hombres libres; luego se degradó aún más y fue aplicada a los siervos (la palabra inglesa *churl*, «patán», tiene el mismo origen). Sin embargo, a partir de Carlomagno, la raíz germánica *karl* pasó a significar «varón, viril» (se latinizó como *Carolus*), y apareció en nombres como Carlomán (*Karlmann*, «hombre viríl»), latinizado *Carlomagnus*, «Carlos el Grande», título del gran emperador germánico (s. VIII). Inmensamente popular en todas las épocas y países, es un nombre frecuente en las casas reales; por no citar más que las españolas, cuatro reyes se han llamado así (cinco si contamos el actual) y cuatro aspirantes más, que reforzaron sus pretensiones en la Guerra de Sucesión y en las carlistas. Mencionemos también las islas Carolinas, bautizadas así en honor de Carlos II, y los estados norteamericanos de Carolina del Norte y Carolina del Sur, por Carlos IX de Inglaterra. Las formas femeninas también son muy populares: Carla, Carleta, Carlota (inspirada en el francés *Charlotte*), Carola, Carolina.

Personajes famosos

Carl Lewis (1961), atleta estadounidense; *Carles Pi i Sunyer* (1888-1971), político, economista y escritor catalán; *Carles Riba* (1893-1959), escritor y humanista catalán; *Carl-Gustav Jung* (1875-1961), psiquiatra suizo; *Carlos Arniches* (1866-1943), comediógrafo español; *Carlos Fuentes* (1928), escritor mexicano; *Carlos Gardel* (1887-1935), cantante argentino de origen francés; *Carlos María Isidro de Borbón (Carlos V)* (1788-1855), pretendiente carlista a la Corona de España; *Carlos Saura*

(1932), director de cine aragonés; *Carlos V* (1500-1558), emperador romano-germánico, rey de Castilla y de Aragón; *Charles Baudelaire* (1821-1867), poeta francés; *Charles Chaplin* (1889-1977), actor y director de cine inglés, más conocido por el hipocorístico *Charlot*; *Charles Coulomb* (1735-1806), físico francés; *Charles Darwin* (1809-1882), naturalista inglés; *Charles De Gaulle* (1890-1970), militar y estadista francés; *Charles Dickens* (1812-1870), novelista inglés; *Karl Marx* (1818-1883), filósofo, político y economista alemán; *Karl Popper* (1902-1994), filósofo austriaco; *Charles Bovary*, esposo de la protagonista de *Madame Bovary*, de Gustave Flaubert (1821-1880); *Charlotte Brönte* (1816-1855), escritora inglesa.

CARMEN

Sexo m./f.
Onom. 16 de julio
Cat. *Carmel/Carme*
Eus. */Karmele, Karmiñe*
Gall. *Carmel/Carme*

Nombre de una Virgen muy popular en Granada. En latín, *carmen* significa «canto, poema», pero en realidad este nombre está inspirado en el monte Carmelo (*karm-el*, «viña de Dios»), donde habitó el profeta Elías, según la Biblia.

Se hizo especialmente famoso a partir del siglo XIII, cuando se instaló allí una comunidad cristiana que tomó el nombre de carmelita.

Aunque la forma femenina es tomada como equivalente a Carmen, en realidad son nombres distintos. Derivado: Carmelina. Variantes: Carmela, Carmina. Forma masculina: Carmelo. En América, Carmen también es masculino.

Personajes famosos
Carmen Martín Gaite (1925), escritora castellana; *Carmen Maura* (1945), actriz española; *Carmen Amaya* (1909-1963), bailarina y coreógrafa española; *Carmen Sevilla* (1933), actriz y presentadora de televisión española; *Carmelo Gómez* (1962), actor español.

CATALINO/CATALINA

Sexo m./f.
Onom. 20 de abril
Cat. *Catalí/Catalina, Caterina*
Eus. *Katalin, Katalain/Kataliñe, Katixa, Katrin*
Gall. *Catarino/Catarina*

Aunque la forma inicial fue el griego *Aikatharina*, pasó al latín como *Katharina* por la atracción de la palabra *katharós*, «puro, inmaculado», lo que lo hacía sinónimo de Febe, Castalia, Inés y Pura.

En la actualidad, este nombre ha disminuido algo su predicamento, pero durante la Edad Media fue popularísimo en toda Europa (¡hasta dio nombre a una rueda de reloj, en alusión al tor-

mento aplicado a la santa!). Variante: Catarina.

Personajes famosos
Catalina de Aragón (1485-1536), primera esposa de Enrique VIII; *Catalina de Médicis* (1519-1589), reina de Francia, esposa de Enrique II; *Catherine Deneuve (Catherine Dorléac)* (1943), actriz francesa; *Katharine Hepburn* (1909-2003), actriz estadounidense.

CECILIO/CECILIA

Sexo m./f.
Onom. 22 de noviembre
Cat. *Cecili/Cecília*
Eus. *Koikilli/Koikile, Zezili, Zilia*
Gall. *Cecío/Cecía* (hipocorístico: *Icia*)

Según la etimología popular, Caecilia, nombre de una familia romana, deriva de *Coeculus*, «cieguecito», pero, en realidad, es un nombre etrusco y su significado se desconoce. Se trata de un nombre que siempre está de moda por ser considerado chic y burgués.

Erróneamente se cree que es equivalente de Celia (popular en Valencia), que procede del latín *Coelius* (del etrusco *Celi*, «septiembre»), nombre de una familia de Roma, desde donde se extendió a una de las colinas de la ciudad. Coincide con el americano Celia, que, en azteca, significa «recibir, florecer». Derivado: Celina.

Personajes famosos
Cecilia Roth (1958), actriz argentina; Celia Amorós (1944), filósofa y teórica feminista española; Celia Cruz (1919-2003), cantante cubana; Celia Gámez (1905-1992), actriz de revista hispanoargentina; Céline Seurre (Cécile Sorel) (1873-1966), actriz francesa; Celio Arias, presidente de Honduras de 1872 a 1874.

CÉSAR/CESARIA

Sexo m./f.
Onom. 15 de marzo
Cat. Cèsar/Cesària
Eus. Kesar/
Gall. César/

Del latín *coesar*, «melenudo», fue inmortalizado por el militar y político romano Julio César (s. I a. de C.), que lo convirtió en un título más, expresivo de la dignidad imperial, y que sobrevive hoy en palabras análogas, como el alemán *Kaiser* o el ruso *zar*. Derivados: Cesarión (nombre de un hijo de Julio César y Cleopatra que fue asesinado a muy corta edad), Cesario, Cesáreo (la operación *cesárea* es denominada así porque, según una falsa tradición, mediante ella nació el caudillo romano).

Personajes famosos
Cayo Julio César (100-44 a. de C.), político, escritor y militar romano; Claudio César Nerón (37-68), emperador romano; César Borja (Bor-

gia) (1475-1507), cardenal, hijo del papa Alejandro VI; César Manrique Cabrera (1929-1992), arquitecto español; Santa Cesárea († 540), abadesa y virgen francesa, hermana de San Cesáreo de Arlés.

CLARO/CLARA

Sexo m./f.
Onom. 10 de octubre
Cat. Clar/Clara
Eus. Kalar/Garbi, Kalare, Argia, Karia
Gall. Claro/Clara

Procede del latín *clarus*, «limpio, claro, ilustre». Posiblemente por ello es invocada Santa Clara como abogada de las enfermedades de la vista (es decir, para «ver claro»).

Personajes famosos
Clara Campoamor (1888-1972), política republicana y feminista española; Santa Clara de Asís (1194-1253), amiga de San Francisco y fundadora de la orden de las clarisas; Claire Trevor (Claire Wemlinger) (1909-2000), actriz estadounidense.

CLAUDIO/CLAUDIA

Sexo m./f.
Onom. 18 de febrero
Cat. Claudi/Clàudia
Eus. Kauldi/Kaulde
Gall. Claudio, Clodio/Claudia, Clodia

Del latín *Claudius*, nombre de una familia etrusca, la etimología

122

popular lo asocia con *claudus*, «cojo», y, de hecho, en la famosa novela de Robert Graves, el emperador homónimo se presentaba como rengo. Claudia de Francia (s. XVI), esposa de Francisco I, ha pasado a la historia por dar su nombre a una sabrosa clase de ciruelas. Este nombre a menudo se confunde con Clodio, pero son distintos.

Personajes famosos
Claude Chabrol (1930), director de cine francés; *Claude Lévi-Strauss* (1908-2009), antropólogo francés; *Claude Monet* (1840-1926), pintor francés; *Claudia Cardinale* (1939), actriz italiana; *Claudia Schiffer* (1971), *top-model* alemana; *Claudio Coello* (1642-1693), pintor castellano; *Claudio Nerón Tiberio* (42 a. de C.-37 d. de C.), emperador romano; *Claudio Ptolomeo* (¿90?-¿168?), astrónomo, matemático y geógrafo griego.

CONCEPCIÓN

Sexo f.
Onom. 8 de diciembre
Cat. *Concepció*
Eus. *Sorne, Sorkunde, Kontxesi*
Gall. *Concepción*

Advocación mariana alusiva a la Inmaculada Concepción de la Virgen María (en latín *conceptio*, «concepción, generación», de *cum-capio*, «con-tener»). Es un nombre muy popular en España. Hipocorísticos: Concha, Conchita, Chita.

Personajes famosos
Concepción Arenal (1820-1893), socióloga, pedagoga y ensayista gallega.

CRISTIÁN/CRISTIANA

Sexo m./f.
Onom. 15 de diciembre
Cat. *Cristià/Cristiana*
Eus. *Kistain/Kistaiñe*
Gall. *Cristián/Cristiana*

Del latín *christianus*, «seguidor, discípulo de Cristo, cristiano» (*Cristo*, del griego *Christós*, «ungido», aludiendo al Mesías, más el sufijo latino gentilicio -*anus*). Es un nombre popular en los países nórdicos (el antiguo nombre de Oslo era Cristianía) y, de unos años a esta parte, también en España. La forma anglosajona *Christian* es muy utilizada útimamente casi con la misma frecuencia que la castellana; de hecho, en el año 2008 este nombre ocupó el lugar 84 en el *ranking* de nombres masculinos, frente al 62 de Cristián. Variante: Cristiano. Otra variante muy próxima es Cristino/Cristina (sufijo gentilicio latino -*inus*), aunque la forma femenina es más usualmente considerada como variante de Cristo.

Personajes famosos
Christian Barnard (1922-2001), cirujano sudafricano, pionero en trasplantes de corazón; *Christian Dior* (1905-1957), diseñador de moda

francés; *María Cristina de Borbón* (1806-1878), viuda de Fernando VII; *Cristina de Borbón* (1965), infanta de España; *Cristina Almeida* (1945), abogada y política española; *Cristina Hoyos* (1946), bailarina y coreógrafa española.

DANIEL/DANIELA

Sexo m./f.
Onom. 3 de enero
Cat. *Daniel, Deniel/Daniela*
Eus. *Danel, Niel/Danele, Niele*
Gall. *Daniel/Daniela*

Dan, «juez» o «justicia» en hebreo, fue el nombre de un patriarca hijo de Jacob cuya madre, Raquel, exclamó al alumbrarlo: «Dios me ha hecho justicia con este hijo». La partícula *-el* alude a Yahvé, con lo que el nombre completo significa «Justicia de Dios». Llevado por uno de los profetas mayores, ha sido un nombre popular en todos los lugares y épocas. También se ha popularizado la forma croata *Danilo*, gracias a varios príncipes de Montenegro. A veces Daniel es considerado equivalente de Dan, patriarca bíblico; la forma Dana también es masculina en inglés.

Personajes famosos
Daniel, profeta mayor bíblico (Dan 3, 21); *Daniel Defoe* (1660-1731), escritor inglés; *Daniel Ayala* (1908-1975), compositor mexicano de origen maya; *Daniel Day-Lewis* (1957), actor irlandés de origen británico;

Niels Bohr (1885-1962), físico danés.

DARÍO/DARÍA

Sexo m./f.
Onom. 25 de octubre
Cat. *Darius/Daria*
Eus. *Dari/Dare*
Gall. *Darío/Daría*

Nombre de un emperador persa derrotado por los griegos en las guerras médicas. Aunque según Herodoto significa «represor», parece proceder más bien del persa *darayaraus*, «activo». Posteriormente recibió la influencia de *Arrio*.

Personajes famosos
Dario Fo (1926), actor y autor teatral italiano, premio Nobel de Literatura en 1997; *Darius Milhaud* (1892-1974), compositor francés.

DAVID/DAVIDIA

Sexo m./f.
Onom. 29 de junio
Cat. *David, Daviu/Davídia*
Eus. *Dabi/Dabe*
Gall. *Davide/Davida*

Del hebreo *dawidh*, «amado» y, por evolución, «amigo». Sinónimo, pues, de numerosos nombres: Amado, Leuba, Maite, Filón, Filemón, Jalil, Pánfilo, Rut... Su uso arranca con el segundo rey de Israel, vencedor de Goliat, prosigue con un obispo galés del siglo VI (en realidad Dewi, cuya onomástica se celebra el 1 de marzo) y culmina hoy con un auge espectacular en España, donde lleva varios años a la cabeza de los preferidos. Formas femeninas: Davidia, Davita, que generan las correspondientes masculinas: Davidio, Davito. Forma medieval: Davinio/Davinia, con sus variantes Davino/Davina. Sinónimos: Amado, Abibo, Arión, Erasto, Leobacio, Leuba, Maite, Miles, Poliero, Bolona, Filón, Comicio, Fileas, Filemón, Filotas, Jalil, Pánfilo, Quetilo, Rut.

Personajes famosos
David, rey de Israel en la Biblia (I Sam 16, 21-22); *David Hume* (1711-1776), filósofo e historiador escocés; *David Livingstone* (1813-1873), explorador y misionero escocés; *Dwight David Eisenhower* (1890-1969), general y estadista estadounidense; *David Lynch* (1946), director de cine estadounidense; *David Bowie* (1947), cantante y actor británico; *David Copperfield*, protagonista de la novela homónima de Charles Dickens (1812-1870).

DIANA

Sexo f.
Onom. 10 de junio
Cat. *Diana*
Eus. –
Gall. –

Contracción del latín *Diviana*, «divina»; Diana significa «la del día, la diurna» y, por extensión, «la clara, la celestial».

Personajes famosos
Diana Ross (1945), cantante estadounidense; *Diana Spencer, lady Di* (1961-1997), princesa de Gales; *Diane Fossey* (1932-1988), zoóloga estadounidense; *Diane Keaton (Diane Hall)* (1946), actriz estadounidense, ex compañera sentimental de Woody Allen.

DIEGO/DIEGA

Sexo m./f.
Onom. 13 de noviembre
Cat. *Dídac/Dídaca*
Eus. *Didaka/Didake*
Gall. *Diego, Diogo/Diega, Dioga*

Variante de Jaime (v.), por abreviación de *Santiago (Sant-Yago, Tiago, Diego)*, latinizado *Didacus* por influencia del término griego *Didachós*, que significa literalmente «instruido».

En el santoral, el nombre se ha independizado por San Diego de Alcalá.

Personajes famosos
Diego de Almagro (1475-1538), conquistador castellano; *Diego Rivera* (1886-1957), pintor y litógrafo mexicano; *Diego Rodríguez de Silva y Velázquez* (1599-1660), pintor sevillano; *Diego Armando Maradona* (1960), futbolista argentino; *Diego Mansilla*, protagonista, junto con Isabel de Segura, de *Los amantes de Teruel*.

DOLORES

Sexo f.
Onom. Viernes de Dolores o 15 de septiembre
Cat. *Dolors*
Eus. *Nekane*
Gall. *Dolores, Dores*

Nombre alusivo a los Siete Dolores de la Virgen María. Procede del latín *doleo*, «sufrir». Hipocorísticos, por aféresis: Lores, Loles, de donde surge Lola. Diminutivos: Lolita, Lolina (Asturias). El primero se ha hecho famoso internacionalmente por la novela *Lolita*, de Vladimir Nabokov.

Personajes famosos
Dolores Ibárruri, la Pasionaria (1895-1989), sindicalista y política española; *María Dolores Pradera* (1924), cantante española; *Lola Flores (Dolores Flores)* (1925-1996), cantante y bailarina española; *Lola Gaos* (1924-1993), actriz española.

DOMINGO/DOMINGA

Sexo m./f.
Onom. 7 de agosto
Cat. *Domènec, Domenge,Domingo/ Dominica*
Eus. *Montxo, Domeka, Txomin/ Txomeka, Jaunarena*
Gall. *Domingos/Dominga*

Nombre muy popular en la Edad Media, gracias a los santos españoles Domingo de Silos y Domingo de Guzmán; procede del latín *dominicus*, «del señor», derivado de *dominus*, «señor», o sea, «consagrado al Señor, a Dios» (de ahí el nombre del día de la semana, que reemplazó al *Saturnalis* latino).

El diminutivo italiano *Menguín* es la máscara milanesa.

Variante: Domenjo. Hipocorístico: Mingo. Femeninos: Dominica, Domínica.

Personajes famosos
Domingo Faustino Sarmiento (1811-1888), político y escritor argentino; *San Domingo* (1170-1221), religioso y fundador de la orden de los dominicos; *Domingo Ortega* (1906-1988), torero español; *Domingo Santa María* (1824-1889), presidente de Chile de 1881 a 1886.

EDGAR/EDGARA

Sexo m./f.
Onom. 8 de julio
Cat. *Otger/Otgera*
Eus. –
Gall. –

Forma inglesa antigua de *Eduardo*, con entidad propia principalmente a causa de un rey santo de Inglaterra (s. IX). Se identifica con el danés *Ogiero*, nombre portado por uno de los paladines de Carlomagno. Poco conocido hasta hace unos años en el mundo latino, desde hace poco se ha introducido con especial fuerza. Variante: Edgardo/Edgarda.

Personajes famosos
Edgar Allan Poe (1809-1849), poeta, narrador y crítico literario estadounidense; *Edgar Degas (Edgar-Hilaire-Germain De Gas)* (1834-1917), pintor y escultor francés.

EDUARDO/EDUARDA

Sexo m./f.
Onom. 13 de octubre
Cat. *Eduard/Eduarda*
Eus. *Edorta/Edorte*
Gall. *Eduardo, Duardos/Eduarda*

Del germánico *audo*, «propiedad, riqueza», y *gair*, «lanza», o, quizá mejor, de *hrod-ward*, «guardián glorioso».

El componente germánico *hrod, hrom, hruom* o *hlod* significa «gloria, fama, distinción» (cf. gr. *Kleos*), y se halla en muchos nombres de persona. La supervivencia de este nombre se debe a la devoción del rey Enrique III por los santos Eduardo y Edmundo, y a su presencia en las listas reales inglesas.

Hoy renace apoyado por la cultura anglosajona, en la que es común el hipocorístico *Teddy*, inmortalizado por el presidente de Estados Unidos Theodore Roosevelt, así como por su *Teddy bear* («oso Teddy»), juguete extendido en todo el mundo. Derivados antiguos: Duardos, Duarte. Hipocorístico: Lalo. Variante inglesa: Edgar (v.).

Personajes famosos
Edouard Manet (1832-1883), pintor francés; *Eduard Bernstein* (1850-1932), político y pensador alemán; *Eduard Marquina* (1879-1946), escritor catalán; *Eduardo Chillida* (1924-2002), escultor vasco; *Edvard Munch* (1860-1939), pintor y grabador noruego; *Edward Kennedy Ellington (Duke Ellington)* (1899-1974), compositor y pianista de *jazz* estadounidense; *Eddie Merckx* (1945), ciclista belga; *Eduardo Mendoza* (1943), escritor español.

EDURNE

Sexo f.
Onom. Como Nieves
Cat. –
Eus. –
Gall. –

Forma vasca de Nieves. Está muy presente en los actuales *rankings* de nombres.

ELENIO/ELENA

Sexo f.
Onom. 18 de agosto
Cat. *Elena*
Eus. *Elen*
Gall. *Helena*

Variante ortográfica de Helena. Su difusión se debe a la madre de Constantino el Grande, descubridora de la Vera Cruz. La Elaine de los romances de la Tabla Redonda es la versión francesa de una antigua forma galesa del mismo nombre. V. *Olga*.

Personajes famosos
Elena Bonner (1923), activista de los derechos humanos rusa y esposa de Andrés Sajárov; *Elena de Borbón* (1963), infanta de España; *Elena Quiroga* (1919-1995), novelista y académica española; *Santa Elena* (s. IV), madre de Constantino el Grande y descubridora de la Vera Cruz.

ELEONOR

Sexo f.
Onom. 22 de febrero
Cat. *Eleonor, Elionor*
Eus. *Lonore*
Gall. *Leonor, Eleonor*

Procede del nombre propio gaélico *Leonorius*, portado por un obispo de Bretaña que vivió en el siglo VI; su origen es, seguramente, la aglutinación de *León* y *Honorio*.

Para otros se trata de una mera variante de Elena. Variante: Leonor, muy popularizada hoy en día por la hija de los actuales príncipes de Asturias.

También es popular la forma catalana *Elionor*.

Personajes famosos
Anna Eleanor Roosevelt (1884-1964), escritora y política estadounidense, esposa del presidente Francis D. Roosevelt; *Eleonora Holiday, Billie Holiday (el Ángel de Harlem)* (1915-1959), cantante de *blues* y *jazz* estadounidense; *Eleanor Dashwood* (1775-1817), protagonista de la novela *Sentido y sensibilidad*, de Jane Austen.

ELISA

Sexo f.
Onom. 2 de diciembre
Cat. *Elisa*
Eus. –
Gall. –

Es considerado habitualmente como un hipocorístico de Elisabet, aunque en realidad es un nombre independiente que procede del hebreo *elyasa*, «Dios ha ayudado». De hecho, se trata de la feminización de Elíseo (v.). Pese al parecido, no es sinónimo de Isabel ni de Elisabet. Variante gráfica, aunque es un nombre distinto: Elissa. Otra variante germánica muy difundida (también de Elisabet, forma catalana y castellana antigua) es Elsa. Hipocorísticos ingleses: Elsie, Elsy.

Personajes famosos
Elsa Anka (1965), modelo y presentadora de televisión española; *Elsa Martinelli* (1932), actriz italiana; *Elsa Morante* (1912-1985), escritora italiana.

ELÍSEO

Sexo m.
Onom. 14 de junio
Cat. *Eliseu, Elis*
Eus. *Elixi*
Gall. *Elíseo*

Aunque es considerada la forma masculina de Elisa, en realidad se trata de un nombre bíblico con entidad propia.

Procedente del hebreo *el-i-shuah*, «Dios es mi salud», fue portado por el célebre profeta compañero de Elías. Es un equivalente etimológico de Josué y de Jesúa. Variante: Eliseo.

Personajes famosos
Elíseo, profeta bíblico (I Rey 19, 16); *Eliseu Meifrèn* (1859-1940), pintor catalán; *Elisée Réclus* (1830-1905), geógrafo y teórico francés del anarquismo.

EMILIO/EMILIA

Sexo m./f.
Onom. 6 de octubre
Cat. *Emili/Emília*
Eus. *Emilli/Emille, Milia*
Gall. *Emilio/Emilia*

La familia Emilia tuvo gran importancia en la historia de la antigua Roma, como lo prueban la provincia italiana de la Emilia y la Vía Emilia.

El nombre es protolatino, aunque se haya querido relacionar con el latino *aemulus*, «émulo», o con el griego *aimílios*, que significa «amable».

En los países germánicos se ha mezclado con otros nombres con el componente *amal*, como en Amalberto, Amalarico...

Conviene recordar la novela *Émile*, de Rousseau, que contribuyó a popularizarlo. Variante:

Emilo/Emila. Derivado: Emiliano/Emiliana.

Personajes famosos
Emile Zola (1840-1902), novelista francés; *Emilia Pardo Bazán* (1851-1921), novelista, ensayista y feminista gallega; *Emilio Butragueño* (1963), futbolista español; *Emilio Castelar* (1832-1899), político, orador y escritor andaluz; *Emilio Sánchez-Vicario* (1965), tenista español; *Emily Brontë* (1818-1848), novelista británica; *Emily Dickinson* (1830-1886), poetisa estadounidense.

EMMA

Sexo f..
Onom. Como Manuel
Cat. *Emma*
Eus. –
Gall. –

Deriva de Emmanuel, personaje bíblico en el que se ha querido ver una anticipación del Mesías por el célebre pasaje de Isaías (7, 14) en el que se habla de una virgen que engendrará a un niño que se llamará Emmanuel, literalmente, «Dios con nosotros». Emma es, en principio, una abreviatura de *Emmanuela* (v. *Manuel*), pero concurre también con nombres germánicos, con la voz *Ermin*, nombre de un dios y de una tribu (de donde proceden también Ermelando y Erminia). Variante: Imma, derivado de Irma, que no hay que confundir con Inma (v. *Inmaculada*). Concurre con el árabe *Emma*, «don, favor, gracia».

Personajes famosos
Emma Goldman (1869-1940), política y feminista rusa; *Emma Suárez* (1962), actriz española; *Emma Thompson* (1959), actriz británica.

ENCARNACIÓN

Sexo f.
Onom. 25 de marzo
Cat. *Encarnació*
Eus. *Gizane, Gizakunde, Gixane*
Gall. *Encarnación*

Nombre que alude al misterio religioso (*en-carnación*, «hacerse carne el Verbo»). Variante: Encarna.

Personajes famosos
Encarnación López, la Argentinita (1895-1945), bailaora española de origen argentino; *Encarnación Ezcurra* (1795-1838), esposa del dirigente argentino Juan Manuel de Rosas; *Encarna Paso* (1931), actriz española.

ÉNEKO

Sexo m.
Onom. Como Ignacio
Cat. *Ennec*
Eus. *Eneko*
Gall. *Eneko*

Forma arcaica de Íñigo, a su vez resultado de la evolución del antiquísimo nombre vasco *Ennecus*

o *Éneko*, de origen incierto: se ha propuesto el topónimo *en-ko*, «lugar en la pendiente de una extremidad montañosa». A partir del Renacimiento tiende a fundirse con este, que en realidad es un cultismo. Posiblemente está influido por *Enecón*.

Personajes famosos
Éneko Arista (¿770?-852), primer rey de Pamplona; *Íñigo López de Mendoza* (1398-1458), marqués de Santillana, literato y estadista castellano; *Íñigo López de Recalde* (s. XVI), fundador de los jesuitas canonizado como San Ignacio de Loyola.

ENRIQUE/ENRICA

Sexo m./f.
Onom. 13 de julio
Cat. *Enric/Enrica*
Eus. *Endika, Endrike/Endike*
Gall. *Henrique/Henrica*

Evolución del germánico *heimrich*, «casa poderosa» o, según otra interpretación, «caudillo de la casa, de la fortaleza». Ha sido un nombre favorito de las casas reales de Castilla, Francia e Inglaterra. Con el tiempo, el sufijo *-rik* acabó siendo un mero antroponimizador masculino, olvidándose su significado inicial, como ocurre en otros casos (v. *Berta, Fernando* y *Aldo*). Suele usarse como forma femenina Enriqueta (hipocorístico: Queta). Variantes: Eimerico (forma antigua), Henrique. Es asimilado también a los escandinavos *Haakón* y *Eric*.

Personajes famosos
Enric Casanovas (1882-1948), escultor catalán; *Enric Granados* (1867-1916), compositor y pianista catalán; *Enric Prat de la Riba* (1870-1917), primer presidente de la Mancomunitat de Catalunya; *Enrique Tierno Galván* (1918-1986), político y jurista castellano; *Enrique VIII de Inglaterra* (1491-1547); *Harrison Ford* (1942), actor estadounidense; *Harry S. Truman* (1884-1972), presidente de Estados Unidos de 1945 a 1953; *Henri de Toulouse-Lautrec* (1864-1901), pintor y litógrafo francés; *Henri Matisse* (1869-1954), pintor, dibujante, grabador y escultor francés; *Henrik Ibsen* (1828-1906), dramaturgo noruego; *Henri Beyle (Stendhal)* (1783-1842), escritor francés; *Henry Fonda* (1905-1982), actor estadounidense; *Henry Ford* (1863-1947), industrial estadounidense; *Henry J. Morgan* (¿1635?-1688), corsario inglés; *Henry James* (1843-1916), novelista estadounidense naturalizado inglés; *Henry Miller* (1891-1980), novelista estadounidense; *Henry Purcell* (1659-1695), compositor inglés.

ERIC

Sexo m.
Onom. 18 de mayo
Cat. –
Eus. –
Gall. –

Forma original de Erico, del germánico *ewaric*, «regidor eterno».

También se identifica con Enrique. La forma femenina es pronunciada a veces Érica por influencia del latín *erica*, «brezo, madroño».

Este nombre es muy popular en los países nórdicos, gracias a Erico IX, rey de Suecia y Dinamarca del siglo XII.

En España es conocida la variante Eurico, nombre de un rey visigodo. Se usan también las formas Erik/Erika, casi tan populares como las castellanas.

Personajes famosos
Eric Arthur Blair (George Orwell) (1903-1950), ensayista y novelista inglés; *Eric Clapton* (1945), cantautor estadounidense; *Eric Rohmer (Maurice Schérer)* (1920), director de cine francés; *Erich Fromm* (1900-1980), psicoanalista estadounidense de origen alemán.

ERNESTO/ERNESTA

Sexo m./f.
Onom. 7 de noviembre
Cat. *Ernest, Arnús/Ernesta*
Eus. *Arnulba/Arnulbe*
Gall. *Ernesto/Ernestina*

Procede del germánico *ernust*, «combate».

La etimología popular inglesa lo asimila a la palabra del mismo origen *earnest*, «serio, sereno», especialmente desde la obra *The Importance to be Earnest* (La importancia de llamarse Ernesto), de Oscar Wilde, cuyo título juega con ambas palabras. Variante femenina: Ernestina.

Personajes famosos
Ernest Hemingway (1899-1961), novelista estadounidense; *Ernesto Guevara (Che Guevara)* (1928-1967), revolucionario argentino; *Ernesto Sábato* (1911), ensayista y novelista argentino; *Ernst Jünger* (1895-1998), escritor y ensayista alemán.

ESPERANZA

Sexo f.
Onom. 18 de diciembre
Cat. *Esperança*
Eus. *Espe, Itxaro, Itxaropen*
Gall. *Esperanza*

Santa Sofía, gran devota de las virtudes teologales, bautizó a sus tres hijas con los nombres de estas: Fe, Esperanza y Caridad; todas fueron mártires y santas. Esperanza procede del latín *spe*. Variante: Spe, nombre de un santo italiano (s. VI).

Personajes famosos
Esperanza Aguirre (1952), política española; *Esperanza Roy* (1935), actriz de revista española; *Santa Esperanza* († 137), hija de Santa Sofía.

ESTEBAN/ESTEFANÍA

Sexo m./f.
Onom. 26 de diciembre; Estefanía: 16 de enero
Cat. *Esteve/Estefania, Estèfana, Estevenia*
Eus. *Eztebe, Istebe, Estepan/Estebeni, Istebeni, Itxebe, Fani*
Gall. *Estevo/Esteva, Estefanía*

Del griego *stephanós*, «coronado» (de laurel) y, por analogía, «victorioso», lo que lo convierte

La importancia de llamarse...

La obra de Oscar Wilde The importance to be Earnest *es conocida habitualmente como* La importancia de llamarse Ernesto, *pero con esta traducción literal se pierde el juego de palabras entre el nombre de pila inglés* Ernest *y la palabra* earnest, *«serio, formal». Por ello algunos traductores imaginativos han buscado versiones más libres para el título. Las dos mejores que hemos encontrado son:* La importancia de llamarse Severo *y* La importància de dir-se Franc *(en catalán,* La importancia de llamarse Franco*).*

en sinónimo de Laura (v.). El masculino está algo en desuso actualmente; en cambio, la forma femenina conoce un auge insospechado.

Personajes famosos
Estefanía Grimaldi (1965), princesa de Mónaco; *Steffi Graf* (1970), tenista alemana; *Stephen Hawking* (1942), cosmólogo británico; *Stephen King* (1946), novelista estadounidense; *Steven Spielberg* (1947), director de cine estadounidense; *Stevie Wonder* (1950), cantante y compositor estadounidense.

ESTELA

Sexo f.
Onom. 3 de mayo
Cat. *Estela, Estel·la*
Eus. *Izar, Izarne, Izarra*
Gall. *Estela*

Advocación mariana tomada de una de las jaculatorias de las letanías: *Stella matutina*, «estrella de la mañana». Equivale a Estrella y es confundido a menudo con Eustelia. Suele usarse a veces el diminutivo Estelita, influido por el nombre masculino Estilita. Los santos Eutropio y Estela o Eustelia (¿s. III?) son venerados en Saintes (Francia) como mártires.

Personajes famosos
María Estela Martínez de Perón (Isabelita) (1931), política argentina, esposa de Juan Domingo Perón y presidenta de su país.

ESTER

Sexo f.
Onom. 8 de diciembre
Cat. Ester
Eus. –
Gall. *Ester*

Variante de *Isthar*, nombre de la diosa babilónica Astarté, procedente a su vez de la raíz *st*, que ha dado *astro, estrella* en otras lenguas.

Curiosamente este nombre fue adoptado por los sometidos judíos y acabó evocando a su heroína por excelencia, mediadora de su pueblo ante el soberano. Se usa sobre todo la variante etimológica Esther.

Personajes famosos
Estée Lauder (Esther Menster) (1908-2004), empresaria de cosméticos estadounidense; *Esther Tusquets* (1936), editora y novelista española; *Esther Koplowitz* (1950), empresaria española de origen judeoalemán.

EUGENIO/EUGENIA

Sexo m./f.
Onom. 24 de julio
Cat. *Eugeni/Eugènia*
Eus. *Euken, Eukeni/Eukene*
Gall. *Uxío, Euxenio, Ouxío/Uxía, Euxenia, Ouxía*

Este nombre, popular durante mucho tiempo, en la actualidad ha caído en desuso. De *eu-genos*, «de buen origen, de casta noble» (cf. *Adelaida, Crisógeno, Genadio, Genciano, Genoveva*, todos ellos con significado análogo), fue un nombre muy corriente en el siglo XIX (Eugène de Beauharnais, Eugène Delacroix...).

Personajes famosos
Eugène Delacroix (1798-1863), pintor, acuarelista, diseñador y litógrafo francés; *Eugeni d'Ors (Xènius)* (1881-1954), escritor y filósofo catalán; *Eugenia de Montijo* (1826-1920), emperatriz de los franceses, esposa de Napoleón III.

EULALIO/EULALIA

Sexo m./f.
Onom. 10 de diciembre
Cat. *Eulali/Eulàlia* (hipocorísticos: *Olalla, Olària, Laia*)
Eus. *Eulale/Eulari, Olaria, Olaia*
Gall. *Eulalio/Eulalia* (hipocorísticos: *Alla, Baia, Laia, Olaia, Olalla*)

Procede del griego *eu-lalos*, «bien hablada, elocuente» (sinónimo etimológico de Facundo). Es el nombre de la patrona de Barcelona (s. IV), cuya leyenda aparece duplicada en Mérida. Algunas variantes son: Olalla, Olava, Olaria, Olaja, Olea.

El hipocorístico catalán, *Laia*, en la actualidad ya se ha convertido en un nombre independiente.

Personajes famosos
Santa Eulalia de Barcelona y *Santa Eulalia de Mérida* (s. IV), mártires; *Eulalia Abaitúa* (1853-1943), fotó-

grafa española; *María Eulalia de Borbón* (1864-1958), infanta de España.

EVO/EVA

Sexo m./f.
Onom. 19 de diciembre
Cat. *Eva*
Eus. –
Gall. *Eva*

A partir del significado del nombre de la primera mujer según la Biblia (*hiyya*, «vida, la que da la vida») surgió la creencia, frecuente en la Edad Media, de que las mujeres que se llamaban así vivían más tiempo: quizás esto explique su popularidad en esa época.

Decaído luego su uso, ocupa hoy nuevamente uno de los primerísimos puestos en las preferencias de los padres.

Incluso la forma masculina, antes presente sólo en Iberoamérica, se ha popularizado gracias al presidente de Bolivia. Sinónimo: Zoé.

Personajes famosos
Eva, la primera mujer según el Génesis (2, 22); *Eva Duarte de Perón (Evita)* (1919-1952), dirigente política argentina, esposa de Juan Domingo Perón; *Éva Gonzalès* (1849-1883), pintora impresionista francesa; *Evo Morales* (1959), líder cocalero (partidario del cultivo de la coca) boliviano y luego presidente de su país.

FÁTIMA

Sexo f.
Onom. 13 de mayo
Cat. Fàtima
Eus. –
Gall. Fátima

Nombre de origen árabe (significa «doncella», de *fata*, «joven») que se extendió por Europa a partit de las apariciones de la Virgen en la localidad homónima portuguesa (1927).

Personajes famosos
Fátima (¿605?-633), hija de Mahoma y esposa de Alí; *Fátima Mernissi* (1941), ensayista feminista marroquí.

FELIPE/FELIPA

Sexo m./f.
Onom. 3 de mayo
Cat. Felip/Felipa
Eus. Pilipa/Pilipe
Gall. Filipe, Felipe, Filipo/Filipa, Felipa

Procede del griego *philos-hippos*, literalmente «amigo de los caballos». Varios reyes del Oriente Próximo, colonizado por los macedonios, se llamaron Filipo, la forma àntigua de Felipe. Famoso y aristocrático en la Edad Media, el nombre se introdujo en España gracias a Felipe el Hermoso, yerno de los Reyes Católicos, y fue llevado por cuatro reyes españoles más;

también se denominó así una antigua posesión española, las islas Filipinas, en honor de Felipe II. Variantes: Filipe, Filipo, este último famoso por el rey de Macedonia padre de Alejandro Magno.

Personajes famosos
Felipe González (1942), ex presidente del Gobierno español de 1982 a 1996; varios reyes de Castilla, Aragón y Portugal: *Felipe II* (1527-1598), *Felipe III* (1578-1621), *Felipe IV* (1605-1665); *Felipe III el Atrevido* (1245-1285), rey de Francia, hijo de Luis IX; *San Felipe Neri* (1515-1595), eclesiástico italiano, fundador; *Felipa Moniz de Perestrello* († ¿1480?), esposa de Cristóbal Colón.

FÉLIX/FELISA

Sexo m./f.
Onom. 2 de agosto
Cat. Fèlix, Feliu/Felisa, Feliua
Eus. Peli/Pele
Gall. Félix, Fiz, Fins/Felisa

Del latín *felix*, «feliz» y también «fértil», este nombre es sinónimo de Beatriz, Fausto, Gaudencio, Macario y Próspero.

Forma femenina alternativa: Felicia. Variantes: Felio, Felío (tomadas también como variantes de Rafael). Derivados: Feliz, Felicísimo/Felicísma, hoy poco corrientes.

Personajes famosos
Félix Lope de Vega y Carpio (1562-1635), escritor español; *Félix Rodrí-*

guez de la Fuente (1928-1980), naturalista español; *Félix*, protagonista de la novela homónima de Ramon Llull (1233-1315).

FERNANDO/FERNANDA

Sexo m./f.
Onom. 30 de mayo
Cat. *Ferran/Ferranda*
Eus. *Ferran, Errando, Erlantz, Perrando/Errande, Perrande*
Gall. *Fernán, Fernando/Fernanda*

Nombre procedente del germánico *Fredenandus*, evolución de *frad*, «inteligente», y *nand*, «osado, atrevido», partícula que con el tiempo se convirtió en un simple sufijo antroponimizador masculino, como *-hard* o *-berht* (v. *Berta*). Las casas reales de Castilla y Aragón extendieron este nombre por toda Europa, y el conquistador Hernán Cortés completó la difusión en América. Variantes: Fernán, Hernando, Hernán, Ferrante.

Personajes famosos
Ferdinand de Saussure (1857-1913), lingüista suizo; *Ferdinand-Marie de Lesseps* (1805-1894), diplomático francés; *Ferdinand-Victor-Eugène Delacroix* (1789-1863), pintor francés; *Fernando Arrabal* (1932), dramaturgo hispanofrancés; *Fernando Botero* (1932), pintor y escultor colombiano; *Fernando de Rojas* (¿1476?-1541), escritor castellano; *Fernando Fernán Gómez* (1921-2007), director, actor y autor de cine y teatro

español; *Fernando I el de Antequera* (1380-1416), rey de Aragón; *Fernando Pessoa* (1888-1935), poeta portugués; *Fernando VII* (1784-1833), rey de España; *Fernao Magalhaes (Magallanes)* (¿1480?-1521), navegante portugués; *Luisa Fernanda Rudi* (1950), política española.

FRANCISCO/FRANCISCA

Sexo m./f.
Onom. Francisco de Asís, pr., 4 de octubre (estigmas: 17 de septiembre); Francisco de Borja, pr., 3 de octubre; Francisco de Paula, er., 2 de abril; Francisco de Sales, ob., dr., 24 de enero; Francisco Javier, pr., 3 de diciembre
Cat. *Francesc* (hipocorístico: *Cesc*)/*Francesca*
Eus. *Fraisku, Patxi, Patxiko, Prantxes/Patxika, Prantxiska, Pantxika*
Gall. *Francisco* (hipocorísticos: *Farruco, Fuco*)/*Francisca*

Del italiano *Francesco*, «francés», fue el apodo dado por Bernardone de Asís a su hijo Juan debido a su afición a la lengua francesa. El Poverello de Asís lo convertiría en uno de los nombres más universales. Así, sólo en España encontramos los hipocorísticos Frasquito (contracción de Francisquito), Paco (oclusión de Phacus, y este, contracción de Phranciscus, todo ello concurrente con el antiguo nombre ibero *Pacciaecus*, que, por otro lado, dio Pacheco), Pancho, Curro (de Franciscurro), Quico (de Francisquico), Francis, etc.

Personajes famosos

San Francisco de Asís (1182-1226), reformador religioso, fundador de la orden franciscana; *Francesc Cambó* (1876-1947), político, abogado y financiero catalán; *Francesc Macià* (1859-1933), presidente de la Generalitat de Cataluña de 1932 a 1933; *Francesc Pi i Margall* (1824-1901), político republicano catalán, presidente de la I República Española; *Francesco Petrarca* (1304-1374), poeta italiano; *Francis Bacon* (1561-1626), filósofo inglés; *Francis Bacon* (1909-1992), pintor irlandés; *Francis Drake* (1543-1596), corsario inglés; *Francis Ford Coppola* (1939), director, productor y guionista de cine estadounidense; *Francisco de Quevedo y Villegas* (1580-1645), escritor castellano; *Francisco de Rojas Zorrilla* (1607-1648), dramaturgo castellano; *Francisco de Zurbarán* (1598-1664), pintor extremeño; *Francisco de Goya y Lucientes* (1746-1828), pintor aragonés; *Francisco José I* (1830-1916), emperador de Austria y rey de Hungría y Bohemia; *Francisco Pizarro* (1478-1541), conquistador extremeño; *François Mitterrand* (1916-1996), presidente de la V República francesa; *François Truffaut* (1932-1984), director de cine francés; *François-Auguste Rodin* (1840-1917), escultor francés; *Françoise Guilllot* (1921), pintora y escritora francesa, compañera sentimental de Picasso; *François-Marie Arouet (Voltaire)* (1694-1778), escritor y pensador francés; *Frank Capra* (1897-1991), director de cine estadounidense; *Frank Lloyd Wright* (1867-1959), arquitecto estadounidense; *Frank Sinatra* (1916-1998), famoso cantante y actor estadounidense.

FRANCISCO JAVIER

Sexo m.
Onom. 3 de diciembre
Cat. *Francesc Xavier*
Eus. –
Gall. –

Este nombre es, en realidad, la forma completa de Javier (v.). Francisco Javier era el nombre propio (Francisco de Azpilicueta) más el familiar (*etxe berrri*, «casa nueva»).

Personajes famosos
San Francisco Javier (1506-1552), apóstol de las Indias; *Francisco Javier Sáenz de Oiza* (1918-2000), arquitecto español.

GABRIEL/GABRIELA

Sexo m./f.
Onom. 29 de septiembre
Cat. *Gabriel/Gabriela*
Eus. *Gabirel/Gabirelle*
Gall. *Gabriel/Gabriela*

Del hebreo *gabar-el*, «fuerza de Dios» (cf. *Ezequiel*), o, según otra interpretación, de *gabr-el*, que significa literalmente «hombre de Dios, enviado por Dios», es el nombre del arcángel bíblico que anunció a la Virgen el misterio de la Encarnación.

Por este motivo, Pío XII lo designó patrón de las telecomunicaciones. Son corrientes los hipocorísticos Gaby y Gabo, incluso

Biel, por una transliteración seguida de aféresis.

Personajes famosos
Gabriel, arcángel del Antiguo Testamento (Dan 8, 16-26); *Gabriel Celaya (Rafael Múgica)* (1911-1991), poeta vasco; *Gabriel García Márquez* (1928), novelista colombiano, premio Nobel de Literatura en 1982; *Gabriel Miró i Ferrer* (1879-1930), escritor catalán; *Gabriela Sabatini* (1970), tenista argentina; *Gabriela Mistral* (1889-1957), poetisa chilena, premio Nobel de literatura en 1945; *Gabrielle Bonheur Chanel (Coco Chanel)* (1883-1971), diseñadora de moda francesa.

GEMMA

Sexo f.
Onom. 14 de mayo
Cat. *Gemma*
Eus. –
Gall. *Xema*

Nombre que entró a formar parte del santoral gracias a la estigmatizada Gemma Galgani. Proviene del latín *gemma*, «gema, piedra preciosa», extensión del sentido originario de «yema, brote de una planta» (raíz indoeuropea: *gembh*, «morder», de donde surge *gombho's*, «diente» y, por analogía, «botón de una planta»). Variante: Gema.

Personajes famosos
Santa Gemma (s. II), mártir gala; *Gemma Nierga* (1964), periodista y locutora radiofónica española.

GEMO/GEMA

Sexo m./f.
Onom. 14 de mayo; también el 11 de abril
Cat. *Gem/Gemma*
Eus. –
Gall. *Xemo/Xema, Xenia*

Masculinización y variante de Gemma.

GERARD

Sexo m.
Onom. 24 de septiembre
Cat. –
Eus. –
Gall. –

Forma catalana de Gerardo.

GERARDO/GERARDA

Sexo m./f.
Onom. 24 de septiembre
Cat. *Gerard, Garau, Grau, Guerau/Gerarda, Gueraua*
Eus. *Kerarta, Gerarta/Kerarte, Gerarde*
Gall. *Xerardo/Xerarda*

Procede del germánico *gair-hard*, «fuerte con la lanza», o de *gair-ald*, «noble por la lanza» (v. *Aldo*). Como ocurre con tantos otros nombres, los sufijos *-hard* y *-ald* han sido confundidos; y, aunque desde el punto de vista estrictamente etimológico Gerardo y Geraldo son distintos, en la práctica son tomados como equivalentes. Esta imprecisión proporciona numerosas variantes: Gereardo, Geroldo, Giraldo, Girardo, Grao, Guerao.

Personajes famosos
Geraldine Chaplin (1944), actriz estadounidense, hija de Charlot; *Gérard Depardieu* (1948), actor francés; *Gerardo Diego* (1896-1987), poeta y crítico castellano; *Gerhard Schröder* (1944), político alemán; *Gerry Adams* (1948), líder nacionalista irlandés; *Jerry Lewis* (1926), actor y director de cine estadounidense.

GERMÁN/GERMANA

Sexo m./f.
Onom. 18 de junio
Cat. *Germà/Germana*
Eus. *Kerman/Kermane*
Gall. *Xermán, Xermao/Xermana*

El origen de este nombre es muy discutido: el latín *germanus*, «hermano» (formado a partir de la voz *germen*, «semilla»), aplicado a uno de los pueblos invasores del Imperio, probablemente sólo era la adaptación del nombre de este, *wehr-mann*, «hombre que se defiende», o *heer-mann*, «guerrero», o bien *gair-mann*, «hombre de la lanza». Variantes: Hermán, Hermano. Derivado: Germánico.

Personajes famosos
Germaine Dulac (1882-1942), directora de cine francesa; *Germán*

Suárez Flamerich (1907-1990), presidente de Venezuela entre los años 1950 y 1952; *Germán Riesco* (1854-1916), presidente de Chile de 1901 a 1906.

GLORIO/GLORIA

Sexo m./f.
Onom. 25 de marzo
Cat. *Glori/Glòria*
Eus. *Zoriontasun/Aintza, Aintzane*
Gall. *Glorio/Gloria*

Del latín *gloria*, «fama, reputación», es fundamentalmente un nombre cristiano que alude a la Pascua de Resurrección o Domingo de Gloria. Derivados: Glorialdo, Glorinda. Sinónimo: v. *Berta*.

Personajes famosos
Gloria Fuertes (1918-1998), poetisa y escritora de cuentos española; *Gloria Lasso* (1922-2005), cantante hispanofrancesa; *Gloria Stefan (Gloria María Fajardo)* (1957), cantante cubana; *Gloria Swanson* (1899-1983), actriz estadounidense.

GONZALO/GONZALA

Sexo m./f.
Onom. 21 de octubre
Cat. *Gonçal/Gonçala*
Eus. *Gontzal, Onsalu, Untzalu/Gontzale*
Gall. *Gonzalo/Gonzala*

Del antiguo nombre Gonzalvo, contracción a su vez de Gundisalvo. Procede de *gund*, «lucha», *all*, «total», y *vus*, «dispuesto, preparado», es decir, «guerrero totalmente dispuesto para la lucha» (v. *Gundenes*). Para otros estudiosos, el origen se halla en *gund-alv*, siendo *alv* una variante de *elf*.

Personajes famosos
Gonzalo de Berceo (1180-1246), poeta castellano; *Gonzalo Torrente Ballester* (1910-1998), escritor gallego en lengua castellana; *Gonzalo Suárez* (1934), escritor y director de cine español.

GREGORIO/GREGORIA

Sexo m./f.
Onom. Gregorio I el Grande, pa., dr., 3 de septiembre; Gregorio Nacianceno, ob., dr., 2 de enero; Gregorio Taumaturgo, ob., 17 de noviembre
Cat. *Gregori* (hipocorístico: *Gori*)/*Gregòria*
Eus. *Gergori, Goio, Gorgorio/Gergore, Gergori*
Gall. *Gregorio, Xilgorio* (hipocorísticos: *Goro, Gorecho*)/*Gregoria, Xilgoria*

Del griego *egrégorien*, «que vela, vigilante», este nombre es sinónimo de Eduardo, Sergio y Vigilio. Ha sido llevado por 13 papas de la Iglesia.
Hipocorístico: Goyo.

Personajes famosos
Gregorio Marañón (1887-1960), médico, historiador y ensayista cas-

tellano; *Grigori Rasputín* (1872-1916), monje ruso, influyente en política; *Gregorio XIII* (1502-1585), papa reformador del calendario; *Gregory Peck* (1916-2003), actor estadounidense.

GUILLEM/GUILLEMA

Sexo m./f.
Onom. Como Guillermo
Cat. –
Eus. –
Gall. –

Forma catalana de Guillermo, recastellanizada en el nombre o apellido Guillén.

GUILLERMO/GUILLERMA

Sexo m./f.
Onom. 25 de junio
Cat. *Guillem/Guillema, Guilleuma*
Eus. *Gilamu, Gilen, Gillen/Gillelme*
Gall. *Guillelme, Guillelmo/Guillelma*

Nombre popularísimo en todos los tiempos en los países de tradición germánica. Corriente en la Edad Media, especialmente en Cataluña, sólo ha trascendido al resto de España en los últimos años. Procede de *will*, «voluntad», y *helm*, «yelmo», que trasciende su significado a «protector, el que da protección».
Significado en versión libre: «protector decidido». Formas femeninas: Guillerma, Guillermina.

Personajes famosos
Bill Clinton (1946), presidente de Estados Unidos de 1993 a 2001; *Billy Wilder* (1906-2002), productor y director de cine estadounidense; *Guglielmo Marconi* (1874-1937), inventor y físico italiano; *Guillaume Apollinaire (Wilhelm-Albert Kostrowitzky)* (1880-1918), poeta vanguardista francés; *Guillermo Cabrera Infante* (1919), escritor y ensayista cubano; *Billy the Kid (Billy el Niño)* (1859-1881), seudónimo del estadounidense *William H. Bonney*, asesino incorporado al folclore de su país.

GUNDENES/GUNDENA

Sexo m./f.
Onom. 18 de julio
Cat. *Gundenes/Gundena*
Eus. –
Gall. –

Este nombre procede del germánico *gundi*, «lucha» y, por extensión, «famoso».

GUSTAVO/GUSTAVA

Sexo m./f.
Onom. 3 de agosto
Cat. *Gustau/Gustava*
Eus. –
Gall. *Gustavo/Gustava*

Nombre particularmente popular en Suecia, donde ha sido llevado por varios reyes. Es difícilmente descifrable; quizá procede de *gund-staf*, «cetro real», posiblemente influido por el latín *Augusto*.

Personajes famosos
Gustav Klimt (1862-1918), pintor austriaco; *Gustav Mahler* (1860-1911), compositor y director de orquesta austriaco; *Gustave Flaubert* (1821-1880), novelista francés; *Gustavo Adolfo Bécquer* (1836-1870), poeta castellano romántico.

HÉCTOR

Sexo m.
Onom. s/o
Cat. *Hèctor*
Eus. *Etor*
Gall. –

Nombre mitológico, que llevó el más famoso héroe troyano de *La Ilíada*, ejecutor de Patroclo y vencido a su vez por Aquiles.

Quizás esté relacionado con *hektoreon*, que significa «esculpir, formar, educar» y, por tanto, «persona formada», o bien con *sech*, «coger», es decir, «el que tiene firmemente».

Personajes famosos
Ettore Scola (1931), director de cine italiano; *Héctor Berlioz* (1803-1869), compositor francés; *Ettore Sottsass* (1917-2007), arquitecto y diseñador italiano; *Héctor Hulot* (1799-1850), personaje de la familia ideada por Honoré de Balzac, vicioso y lujurioso; *Héctor Servadac*, héroe de la novela *Viajes y aventuras a través del mundo solar*, de Julio Verne (1828-1905).

HELENIO/HELENA

Sexo m./f.
Onom. 7 de octubre
Cat. *Heleni/Helena, Elena*
Eus. *Heren/Elene, Heleni*
Gall. *Helenio/Helena*

La tradición popular asignó al nombre la interpretación de *eliandros*, «destructora de hombres», por el personaje literario, lo que facilitó la pérdida de la hache inicial. En realidad, el nombre procede de *Heléne*, «antorcha», lo que lo convierte en sinónimo de Berta, Fulgencio y Roxana. Otros apuntan, simplemente, hacia «la griega» *(Hellas)*. Variantes: Elena, Olga (v.), Eleonor (v.). Hipocorístico: Lena.

Personajes famosos
Helena Rubinstein (1870-1965), esteticista y empresaria estadounidense de origen polaco; *Helena*, heroína de *La Ilíada* de Homero, la mujer más bella del mundo, que causa la guerra de Troya; *Helenio Herrera* (1916-1990), entrenador de fútbol argentino.

HELGA

Sexo f.
Onom. 11 de julio
Cat. *Helga*
Eus. –
Gall. *Helga*

Del germánico *heah*, «alto, sublime, excelso» (cf. ing. *high* y al.

heil; también Alá deriva de una raíz emparentada).

Asimismo, se relaciona con el antiguo adjetivo sueco *helagher*, «feliz, próspero», que derivó a «invulnerable» y, posteriormente, a «santo». Este nombre goza de gran popularidad en España, desde hace unos cuantos años, gracias a una película homónima. Sinónimos: Ariadna, Panacea.

Personajes famosos
Santa Helga u Olga (s. x), primera santa rusa; *Helga* (1814), poema de Oehlenschläger, poeta danés.

HUGO/HUGA

Sexo m./f.
Onom. 1 de abril
Cat. *Hug/Huga*
Eus. *Uga/*
Gall. *Hugo/Huga*

Nombre germánico que alude a uno de los cuervos del mitológico Odín, que le informan de lo que sucede en la tierra (*hugh* significa «inteligencia, juicio»).

El calificativo de *hugonotes* aplicado a los protestantes franceses es una deformación del alemán *Eidgenossen*, «confederados» y no está relacionado con el nombre. Diversos condes catalanes de la Edad Media llevaron este nombre, que tiene multitud de sinónimos (Fradila, Frontón, Gaciano, Tancón) y derivados

(Hugón, Hugocio, Hugoso, Hugolino).

Personajes famosos

Hugo Wast (Adolfo Martínez Zuviria) (1883-1962), escritor argentino; *Hugo Sánchez* (1958), futbolista mexicano; *Hugh Grant* (1961), actor británico; *Hugo Ballivián* (1901-1995), presidente de Bolivia de 1950 a 1952.

Ignacio/Ignacia

Sexo m./f.
Onom. 17 de octubre
Cat. *Ignasi/Ignàsia*
Eus. *Iñaki, Iñaxio, Inazio/Iñake*
Gall. *Ignacio/Ignacia*

Teniendo como base la forma latina del nombre, *Ignatius*, se han propuesto diversas interpretaciones,

> *Un juez prohíbe a unos padres ponerle de nombre a su hijo Nacho, porque en asturiano significa «chato»*
>
> *Un tribunal de la Dirección General de Registros y Notariado ha prohibido a unos padres cambiar el nombre de su hijo de Ignacio a Nacho, como así le llaman todos. El motivo alegado no tiene desperdicio: entiende que supone una humillación para el menor, ya que esta abreviatura significa «chato» en asturiano. La citada Dirección General no ha atendido la petición formulada por la familia G. C. de Montgat (Barcelona), que solicitó el cambio de nombre del niño, de 14 años, cuando este descubrió para su sorpresa en una partida de nacimiento que se llama Ignacio y no Nacho. El tribunal considera que Nacho es un «nombre prohibido, en cuanto que constituye un diminutivo o variante coloquial y familiar de Ignacio, que no ha alcanzado sustantividad, porque en el sentir popular se le relaciona sin duda con el antropónimo del que deriva». No obstante, la Dirección General destaca en su auto otro argumento: «No debe olvidarse que Nacho, según el Diccionario de la Lengua Española, de la Real Academia, es en cierta región española un adjetivo calificativo sinónimo de "chato", por lo que también estaría prohibido por perjudicar objetivamente al nacido» (La Nueva España, 30 de octubre de 2000).*

como, por ejemplo, de *igneus*, «ardiente, fogoso» o «nacido, hijo» (de *gen*, «casta»). En realidad, este nombre es una modificación culta del hispánico *Ennecus*, con el que concurriría nuevamente en Íñigo López de Recalde (s. XVI), fundador de los jesuitas canonizado como San Ignacio de Loyola.

Personajes famosos
Ignacio Zuloaga (1870-1945), pintor vasco-castellano; *San Ignacio de Loyola (Íñigo López de Recalde)* (1491-1556), fundador de la Compañía de Jesús.

IKER/IKERNE

Sexo m./f.
Onom. Como Visitación
Cat. –
Eus. –
Gall. –

Formas vascas, masculina y femenina, de Visitación.

Personajes famosos
Iker Casillas (1981), jugador de fútbol español.

INESIO/INÉS

Sexo m./f.
Onom. 21 de enero
Cat. *Agnesi/Agnès*
Eus. *Aña/Añes, Aiñes, Iñes*
Gall. *Einesio, Inesio/Einés, Inés*

Nombre popularísimo en todas las épocas. Procede del griego *ag-*

ne, «pura, casta», incorrectamente aproximado al latino *agnus*, «cordero (de Dios)», razón por la cual este animal se convirtió en símbolo de la santa y la pureza en general. Comparte significado con Aretes, Febe, Catalina (v.) y otros. Nombre de buen tono, su popularidad sigue incólume.

Personajes famosos
Santa Inés (292-304), mártir; *Inés Sastre* (1973), modelo y actriz española.

INMACULADA

Sexo f.
Onom. 8 de diciembre
Cat. *Immaculada* (hipocorístico: *Imma*)
Eus. *Sorkunde, Garbiñe*
Gall. *Inmaculada*

Nombre místico mariano, que alude a la Inmaculada Concepción, proclamada dogma de fe por Pío IX. Procede del latín *in-macula*, «sin mácula, sin mancha». Hipocorístico: Inma. Variante: Concepción.

IRENE

Sexo f.
Onom. 5 de abril
Cat. *Irene*
Eus. *Ireñe, Irea*
Gall. *Irene, Erea*

Extendidísimo nombre griego, que procede de *eiréne*, «paz».

144

Suele tomarse como forma masculina correspondiente Ireneo. Sinónimos: Frida, Paz, Salem, Casimiro, Federico, Onofre, Pacífico, Salomón, Zulima.

Personajes famosos
Irene Gutiérrez Caba (1929-1995), actriz española; *Irène Joliot-Curie* (1897-1956), física francesa, premio Nobel de Física en 1935; *Irene Papas* (1926), actriz griega.

IRENEO/IRENEA

Sexo m./f.
Onom. 28 de junio
Cat. *Ireneu/Irenea*
Eus. *Iren/Irene*
Gall. *Ireneo/Irenea*

Este nombre proviene del griego *eirenaios*, «pacífico» (cf. *Irene*). La forma masculina suele tomarse como equivalente del femenino Irene.

Personajes famosos
San Ireneo (130-200), apóstol de los galos; *San Ireneo* (s. V), Padre Primitivo de la Iglesia.

IRÍA

Sexo f.
Onom. s/o
Cat. *Iria*
Eus. –
Gall. *Iría*

Nombre latino antiguo, famoso por la Cova d'Iria, donde tuvieron

lugar las visiones de la Virgen de Fátima. Procede de *iris*, «arco iris». A veces se identifica con Irene.

ISAAC

Sexo m.
Onom. 27 de marzo
Cat. *Isaac*
Eus. *Ixaka, Isaka*
Gall. *Isaac*

Procede del hebreo *yz'hak* o *izhak*, «chico alegre» o «¡que se ría!», según un deseo formulado por la madre del patriarca portador de este nombre al alumbrarlo (parece más probable, sin embargo, «risa de Yahvé»). Variantes: Isahac, Isac.

Personajes famosos
Isaac, patriarca bíblico (Gén 17, 17); *Isaac Albéniz* (1860-1909), pianista y compositor catalán; *Isaac Asimov* (1920-1992), científico y escritor estadounidense de origen ruso; *Isaac Newton* (1642-1727), físico inglés.

ISABEL

Sexo f.
Onom. 4 de julio; Isabel, madre de Juan Bautista, 5 de noviembre; Isabel de Hungría, 17 de noviembre; Isabel de Portugal, re., 4 de julio
Cat. *Isabel*
Eus. *Elixabet*
Gall. *Isabela* (hipocorístico: *Sabela*)

Nombre babilónico («el dios Bel o Baal es salud»), adoptado por los judíos pese a permanecer dominados, e identificado por los puristas, por similitud fonética, con Elisabet.

Variantes: Isabela, Jezabel.

Hipocorísticos: Isa, Bel, Bela, Sabel.

Derivados: Sabelio, Isabelino (este es considerado su forma masculina).

Personajes famosos
Isabel Allende (1942), novelista chilena de origen peruano; *Isabel I la Católica* (1451-1504), reina de Castilla y León; varias reinas de España: *Isabel de Valois* (1546-1568), esposa de Felipe II; *Isabel de Borbón* (1603-1644), esposa de Felipe IV; *Isabel Farnesio* (1692-1766), esposa de Felipe V; *Isabel de Braganza* (1797-1818), esposa de Fernando VII; *Isabel II* (1830-1904); *Isabel Pantoja* (1956), cantante folclórica española; *Isabella*, protagonista de la ópera *L'italiana in Algieri*, de Rossini; *Santa Isabel de Portugal* (1270-1336), reina.

Isabelo/Isabela

Sexo m./f.
Onom. 4 de julio
Cat. –
Eus. –
Gall. –

Variante de Isabel.

Personajes famosos
Isabella, personaje del *Orlando furioso*, de Ludovico Ariosto (1474-1533), figura femenina suave y delicada.

Isidoro/Isidora

Sexo m./f.
Onom. 24 de abril
Cat. *Isidor, Isidori/Isidora*
Eus. *Isidor/Isidore*
Gall. *Isidoro/Isidora*

El célebre santo autor de las *Etimologías* (ss. VI-VII) hizo perdurable este nombre en España, casi inexistente en otros países. Procede del griego *Isis-doron*, «don de Isis», una diosa egipcia venerada también en Grecia.

Personajes famosos
Isidoro de Sevilla (¿560?-636), doctor de la Iglesia; *Isidoro de Mileto* (s. VI), arquitecto bizantino; *Isidore Ducasse* (1846-1870), conde de Lautréamont, poeta francés; *Isidora Rufete*, protagonista de *La desheredada*, de Benito Pérez Galdós.

Isidro/Isidra

Sexo m./f.
Onom. 15 de mayo
Cat. *Isidre/Isidra*
Eus. *Isidro/Isidre*
Gall. *Isidro, Cidre/Isidra, Cidra*

Variante de Isidoro (v.), famosa por el santo patrono de Madrid.

Personajes famosos
San Isidro Labrador (¿1070?-1130), campesino madrileño; *Isidre Gomà* (1869-1940), eclesiástico y escritor español; *Isidre Nonell* (1873-1911), pintor y dibujante catalán.

ISMAEL/ISMAELA

Sexo m./f.
Onom. 17 de junio
Cat. *Ismael/Ismaela*
Eus. –
Gall. *Ismael/Ismaela*

En el Antiguo Testamento, Ismael es el progenitor del pueblo árabe o ismaelita, también llamado *agareno* por el nombre de la madre, Agar, sierva que fue repudiada por Abraham (Gén 16, 3-16). El nombre de Ismael procede de *Ichma-* o *Isma-el*, «Dios escucha».

Personajes famosos
Ismael Enrique Arciniegas (1865-1938), poeta colombiano; *Ismaïl Kadare* (1936), escritor albanés; *Ismael Rodríguez* (1917-2004), director y productor de cine mexicano.

IVÁN

Sexo m.
Onom. 24 de junio
Cat. *Ivan*
Eus. –
Gall. *Iván*

Forma rusa y búlgara de Juan. Concurre con el nombre de origen germánico *Ibán*, formado con la raíz *iv*, «glorioso» (variante de *hrod*, «gloria»).

Personajes famosos
Varios zares rusos, entre ellos *Iván Vasiliévich IV el Terrible* (1530-1584);

Ivan Lendl (1960), tenista checo; *Ivan Pavlov* (1849-1936), fisiólogo ruso; *Iván de la Peña López* (1976), futbolista español; *Iván Fedorovich Karamazov*, personaje de *Los hermanos Karamazov*, de Fedor Dostoievski (1821-1881), personificación del racionalista negativo; *Iván Ilich*, protagonista de *La muerte de Iván Ilich*, de Leon Tolstói (1828-1910); *Iván Stepanovic Mazeppa*, personaje legendario repetidamente llevado a la literatura en forma de libertino intrigante.

IZAN

Sexo m.
Onom. s/o
Cat. –
Eus. –
Gall. –

Deformación del nombre árabe *Isa'mm*, «salvaguarda», o del indio *Ishan*, «Dios, el Señor».

JACOB/JACOBA

Sexo m./f.
Onom. 5 de febrero
Cat. *Jacob/Jacoba*
Eus. *Jakobe, Jakue, Jagoba/Jagobe*
Gall. *Xacobe/Xacoba*

Procede del hebreo *yah-aqob*; el primer componente, presente en multitud de nombres bíblicos, significa «Dios», pero el segundo da lugar a controversias: quizá provenga de *ageb*, «talón», en alusión al nacimiento del patriarca, que tenía asido por el calcañar a su hermano gemelo Esaú, o bien de *yahaqob*, «el suplantador», o sea, el «sub-plantador», pues con los años usurparía los derechos de primogenitura de aquel. Variante: Jacobo. El nombre conoció gran auge en la Edad Media, como así prueban sus derivados: Jacobo, Yago, Santiago (por Sant-Yago) y Jaime (por el italiano *Giacomo*). Hipocorístico: Diego.

Personajes famosos
Jacob, patriarca bíblico (Gén 25, 21-26); *Iacopo Ropusti, Il Tintoretto* (1518-1594), pintor italiano; *Jacob Grimm* (1785-1863), escritor alemán; *Jacob van Ruysdael* (1636-1682), pintor paisajista holandés.

JAIME/JAIMITA

Sexo m./f.
Onom. 25 de julio
Cat. *Jaume/Jauma, Jaumeta, Jaquelina*
Eus. *Jakoma, Jakes/Jakome*
Gall. *Xaime, Xácome/Xácoma, Xaquelina*

Se trata de la derivación más famosa de Jacob (v.). Popularísimo en España y Francia, este nombre ha sido llevado por reyes de la Corona de Aragón e innumerables personajes célebres, y se ha introducido en el lenguaje diario: las francesas *jacqueries* eran las revueltas de paisanos, pues el personaje *jacques* designaba a una persona corriente; los jacobinos, el más célebre partido de la Revolución francesa, adoptaron este nombre por su lugar de reunión, el convento de Saint Jacques. Entre nosotros, Jaimito constituye un personaje muy conocido. Variante antigua: Jácome. V. también *Jaume*.

Personajes famosos
Jacqueline Kennedy, después *Onassis* (1926-1994), esposa de J. F. Kennedy; *Jacqueline Picasso* (1926-1986), musa y esposa de Pablo Picasso; *James Cook* (1728-1779), navegante inglés; *James Dean* (1931-1955), actor estadounidense; *James Earl Carter (Jimmy Carter)* (1924), presidente de Estados Unidos de 1977 a 1981; *James Mason* (1909-1984), actor de cine y teatral británico; *James Stewart* (1908-1994), actor estadounidense; *James Watt* (1736-1819), ingeniero, mecánico e inventor escocés; *Jesse Owens* (1913-1980), atleta estadounidense; *James Joyce* (1882-1941), escritor irlandés en lengua inglesa.

JAN/JANA

Sexo m./f.
Onom. Como Juan
Cat. *Jan/Jana*
Eus. –
Gall. –

Hipocorístico de Juan/Juana.

Personajes famosos
Jan Ulrich (1973), ciclista alemán; *Jan van Eyck* (¿1390?-1441), pintor

148

flamenco; *Jan Vermeer* (1632-1675), pintor neerlandés; *Jane Austen* (1775-1817), novelista británica; *Jane Fonda* (1937), actriz estadounidense.

JAUME

Sexo m.
Onom. Como Jaime
Cat. –
Eus. –
Gall. –

Forma catalana de Jaime (v.).

Personajes famosos
Jaume Bofill i Mates (Guerau de Liost) (1878-1933), poeta catalán; Jaume Fuster (1945), escritor catalán; *Jaume Huguet* (¿1415?-1492), pintor catalán; *Jaume I el Conqueridor* (1208-1276), rey de Aragón, conde de Barcelona; *Jaume Perich* (1941-1995), dibujante humorístico catalán; *Jaume Roig* († 1478), escritor y médico valenciano; *Jaume Sabartés* (1881-1968), escultor y escritor catalán; *Jaume Vicens i Vives* (1910-1960), historiador catalán y mastro de historiadores; *Jaume Vidal i Alcover* (1923-1991), escritor y filólogo mallorquín-catalán.

JAVIER/JAVIERA

Sexo m./f.
Onom. 3 de diciembre
Cat. *Xavier/Xaviera*
Eus. *Xabier, Jabier/Xabiere, Jabiere*
Gall. *Xavier, Xabier/Xaviera, Xabiera*

Del vasco *etxe-berri*, «casa nueva», aludiendo al lugar de nacimiento de Francisco de Javo y Azpilicueta, que llegaría a ser el famoso jesuita apóstol de las Indias San Francisco Javier.

Esta forma completa también es popular y se usa a menudo como nombre compuesto.

Personajes famosos
Javier de Borbón-Parma (1889-1977), duque de Parma, pretendiente al trono francés; *Xavier Benguerel* (1905-1990), escritor catalán; *Xavier Mariscal (Francesc Xavier Errando Mariscal)* (1950), diseñador y artista plástico; *Javier Marías* (1951), novelista español; *Javier Solana Madariaga* (1942), político español; *Javier Sotomayor* (1967), atleta cubano; *Javier Bardem* (1969), actor español; *San Francisco Javier* (1506-1552), apóstol de las Indias; *Francisco Javier Sáenz de Oiza* (1918-2000), arquitecto español.

JESÚS/JESUSA

Sexo m./f.
Onom. 1 de enero
Cat. *Jesús/Jesusa*
Eus. *Josu, Yosu/Josune*
Gall. *Xesús/Xesusa*

Poco frecuente en los primeros tiempos del cristianismo por considerarse irreverente, hoy es uno de los nombres más populares de ciertas partes de España e Iberoamérica. Etimológicamente, es una derivación de *yehoshúah*, «Yahvé salva, socorre», del que surgieron también Joshua y Josué. La Orden de la Compañía de Jesús, fundada por San Ignacio, ha sido siempre una de las más activas en el seno de la Iglesia.

Personajes famosos
Jesús de Nazaret (¿4? a. de C.-¿29? d. de C.), fundador del cristianismo; *Jesús Hermida* (1937), periodista español; *Jesús Puente* (1930-2000), actor y director teatral y *showman* español; *Jesús de Polanco* (1929-2007), empresario de medios de comunicación español; *Jesulín de Ubrique* (1974), torero español; *Jesús Ferrero* (1952), novelista y poeta español.

JIMENO/JIMENA

Sexo m./f.
Onom. Como Simeón
Cat. *Eiximenis, Ximeno/Ximena*
Eus. *Ximen/Ximena*
Gall. –

Variante medieval de Simeón, resucitada por la fama de la esposa del Cid. Es un nombre originario de Navarra, por lo que se ha propuesto también una relación con el vasco *eiz-mendi*, «fiera de la montaña». Formas antiguas (se pronuncian igual): Ximeno/Ximena.

Personajes famosos
Jimena (ss. IX-X), hija del conde García III Íñiguez y esposa del rey asturiano Alfonso III el Magno; *Jimena Díaz* (ss. XI-XII), esposa del Cid Campeador; *Jimena Menéndez Pidal* (1901-1990), profesora española.

JOAQUÍN/JOAQUINA

Sexo m./f.
Onom. 26 de julio
Cat. *Joaquim* (hipocorístico: *Quim*)/ *Joaquima*
Eus. *Jokin/Jokiñe*
Gall. *Xaquín, Xoaquín/Xaquina, Xoaquina*

Hasta el siglo XIV apenas fue tomado en consideración el nombre del patriarca que, según los evangelios apócrifos, fue el padre de la Virgen María; en cambio, en la actualidad es bastante popular. Procede del hebreo *yehoyaqim*, que significa «Yahvé construirá, erigirá».

Personajes famosos
Joaquim Sorolla (1863-1923), pintor valenciano; *Joaquim Sunyer* (1874-1956), pintor y grabador catalán; *Joaquín Álvarez Quintero* (1873-1944), comediógrafo andaluz-castellano; *Joaquín Cortés* (1969), bailarín y coreógrafo español de danza clásica y flamenco; *Joaquín Fernández Alvarez (Espartero)* (1793-1879), militar y político castellano.

JOEL/JOELA

Sexo m./f.
Onom. 13 de julio
Cat. *Joel/Joela*
Eus. *Yoel, Jol/Jole*
Gall. *Xoel/Xoela*

Este nombre procede del hebreo *yo'el*, «Dios es Dios» (las mismas partículas teóforas, en orden inverso, dan Elías).

No hay que confundirlo con el también bíblico Jael, femenino (heb. *Jaalah*, «cabra salvaje» o «antílope»).

Personajes famosos
Joel, uno de los doce profetas menores del Antiguo Testamento (Jl 1, 1).

JONATÁN

Sexo m.
Onom. s/o, s. c. c. Jonato
Cat. *Jonatan*
Eus. –
Gall. –

Nombre que procede del hebreo *jo-nathan*, «don de dios» (cf. *Doroteo*).

Jonatán es un personaje bíblico, hijo del rey Saúl y amigo de David, que lloró su muerte por ser su amistad «más maravillosa que el amor de las mujeres».

No es equivalente al también bíblico Jonás (del hebreo *yonah*, «paloma»), que simboliza, con su permanencia de tres días en el vientre de una ballena, el cautiverio del pueblo israelita.

El llamado *signo de Jonás*, nombrado por Jesucristo, hace referencia al periodo de tres días y tres noches, de fuerte carga simbólica por su alusión a la Resurrección.

Personajes famosos
Jonatán, en el Antiguo Testamento, hermano de Judas Macabeo (I Sal 14,1); *Jonathan Swift* (1667-1745), escritor irlandés en lengua inglesa; *Jonathan Edwards* (s. XVIII), teólogo y predicador estadounidense; *Jonathan Wild*, protagonista de la *Historia de la vida del difunto señor Jonathan Wild el Grande*, de Henry Fielding (1707-1754).

JORDI

Sexo m.
Onom. Como Jorge
Cat. –
Eus. –
Gall. –

Forma catalana de Jorge, hoy popularizada en toda España.

Personajes famosos
Jordi Carbonell (1924), filólogo y político catalán; *Jordi Pujol* (1930), presidente de la Generalitat de 1980 a 2003; *Jordi Ventura i Subirats* (1932), historiador catalán; *Jordi Tarrés* (1966), motociclista catalán; *Jordi Mollà* (1970), actor catalán; *San Jordi* (s. IV), mártir cristiano oriental.

JORGE/GEORGIA

Sexo m./f.
Onom. 23 de abril
Cat. *Jordi/Geòrgia*
Eus. *Gorka/*
Gall. *Xurxo, Xorxe/Xorxina*

Procede del griego *Georgos* (*ge-or-gon*, «el que trabaja la tierra, agricultor»). San Jorge y su lucha con el dragón que devastaba Libia para liberar la doncella, leyenda tan atractiva para el espíritu caballeresco, influiría fuertemente en Europa a través de los cruzados, lo que explica que tantos países adoptaran al santo como patrón: Inglaterra, Irlanda, Aragón, Cataluña, Portugal, Georgia y Sicilia.

Formas femeninas: Georgia, Georgina. La forma catalana Jordi, patrón del país, se ha popularizado hoy en toda España.

Sinónimos: Agrícola, Campaniano, Ruricio.

Personajes famosos
Georg Friedrich Händel (1685-1759), compositor alemán; *Georg Wilhelm Hegel* (1770-1831), filósofo alemán; *George Cukor* (1899-1983), director de cine estadounidense; *George Gordon (Lord Byron)* (1788-1824), poeta romántico inglés; *George Orwell (Eric Arthur Blair)* (1903-1950), novelista inglés; *George Washington* (1732-1799), primer presidente de Estados Unidos, de 1789 a 1797; *Georges Bizet* (1838-1875), compositor francés; *Georges Braque* (1882-1963), pintor francés; *Georges Mèliés* (1861-1938), director de cine francés; *Giorgio Armani* (1934), diseñador italiano; *Jorge Guillén* (1893-1984), poeta español; *Jorge Luis Borges* (1899-1986), escritor argentino; *Jorge Manrique* (1440-1479), poeta castellano; *Jorge Semprún* (1923), político, cineasta y escritor español en lenguas francesa y castellana.

JOSÉ/JOSEFA

Sexo m./f.
Onom. José, esposo de María, 19 de marzo; José de Calasanz, pr., 25 de agosto; José de Cupertino, pr., 25 de agosto; José Oriol, pr., 23 de marzo
Cat. *Josep/Josepa* (hipocorísticos: *Jep, Bep, Pep, Po, Zep*)
Eus. *Joseba, Josepe, Joxe, Josu/Iosebe, Goxepa, Koxpa*
Gall. *Xosé/Xosefa*

Era el antropónimo más expandido en España hasta hace poco. Era el nombre del undécimo hijo del patriarca Jacob, cuya madre, Raquel, jubilosa de salir de su largo periodo de esterilidad, exclamó al darlo a luz: «Auménteme (Dios) la familia» (*yosef*). Su popularidad masiva no se inició hasta el siglo XIX, cuando el papa Pío IX nombró a San José, esposo de la Virgen María (Mt 13, 55), patrono de la Iglesia universal. Por su omnipresencia forma abundantísimos compuestos (José Antonio, José María, José Ramón, etcétera) e hipocorísticos (Pepe, Chema, Pito, José). Formas antiguas: Josef, Josefo. Formas femeninas: Josefa, Josefina (en realidad es una forma independiente, derivada de *Josefino*, «de la familia o afín a José»), Fina.

El uso tan frecuente de este nombre hacía casi obligatorio usarlo como primera parte de un compuesto para completar su valor identificativo. En 2008, figuraron, entre los cien nombres masculinos más frecuentes, los compuestos José Antonio, José Luis, José Manuel y José María (este último, formado con un femenino, sigue una fórmula frecuente en Francia).

Personajes famosos
Giuseppe Garibaldi (1807-1882), militar y político italiano; *Giuseppe Verdi* (1813-1901), compositor italiano; *José Artigas* (1764-1850), político uruguayo; *José Benito Churriguera* (1665-1725), arquitecto y escultor castellano; *José Bonaparte* (1768-1844), rey intruso de España; *José Calvo Sotelo* (1893-1936), político gallego; *José de Espronceda* (1808-1842), poeta castellano; *José Echegaray* (1832-1916), dramaturgo español; *José Martínez Ruiz (Azorín)* (1873-1967), escritor castellano; *José Ortega y Gasset* (1883-1955), filósofo español; *José Saramago* (1922), novelista portugués; *Josep Anselm Clavé* (1824-1874), músico, poeta y político catalán; *Josep Carner* (1884-1970), escritor catalán; *Josep Carreras* (1971), tenor catalán; *Josep Irla i Bosch* (1874-1958), presidente de la Generalitat de 1940 a 1954; *Josep Pla* (1897-1981), escritor catalán; *Josep Tarradellas* (1899-1988), presidente de la Generalitat de Cataluña de 1954 a 1980; *Josep Vicent Foix* (1893-1987), poeta y periodista catalán; *Joe Christmas*, personaje de la novela *Luz de agosto*, de William Faulkner (1897-1962); *Josefina de Beauharnais (Marie-Josèphe Rose Tascher de la Pelagerie)* (1763-1814), emperatriz francesa, esposa de Napoleón I.

JUAN/JUANA

Sexo m./f.
Onom. Juan el Bautista, 24 de junio (degollación, 29 de agosto); Juan Crisóstomo, ob., dr., 13 de septiembre; Juan Damasceno, ob., dr., 4 de diciembre; Juan de Capistrano, pr., 23 de octubre; Juan de la Cruz, pr., dr., 14 de diciembre; Juan Nepomuceno, pr., mr., 16 de mayo; Juan Evangelista, ap., 27 de diciembre
Cat. *Joan/Joana* (hipocorístico: *Jan*)
Eus. *Joanes, Jon, Manez, Ganix/Joana, Jone, Maneixa, Joaniza*
Gall. *Xan, Xoán, Xohán/Xoana, Xohana*

Este es uno de los nombres más populares de todas las épocas. Procede del hebreo *yohannan*, «Dios es propicio, se ha compadecido» (cf. *Ana*). San Juan Bautista inició su masiva difusión, y se han llamado Juan multitud de personajes, lo cual ha dado lugar a muchos arquetipos relacionados con su uso. El *John Bull* inglés es tan representativo del personaje medio de ese país como lo es el Juan Español entre nosotros. El personaje *Jan Kaas* (Juan Queso) es, para sus vecinos, el holandés típico, y la palabra *yanqui*, aplicada a los estadounidenses, deriva del también holandés *Yankee* o *Janke* (Juanito). Bajo el pabellón de la Union Jack se acogen los británicos, y los personajes Hansel y Gretel son los héroes de cuento de Grimm más famosos de Alemania. La abundancia de este antropónimo, comparable a la de José, ha generado numerosos compuestos. Entre los cien primeros nombres de 2008 figuran Juan Antonio, Juan José y Juan Manuel. Variantes: Iván, Jan (v.). (Lituano: *Jonas*; gr.: *Ioánnes*; árabe: *Yahya*).

Personajes famosos
Giovanni Antonio Canal (Canaletto) (1697-1768), pintor italiano; *Hans Christian Andersen* (1805-1875), escritor danés; *Jean Bernard Foucault* (1819-1868), físico francés; *Jean Cocteau* (1889-1963), escritor, dibujante y director de cine francés; *Jean de La Fontaine* (1621-1695), escritor francés; *Jean Renoir* (1894-1979), director de cine y actor francés; *Jean-Jacques Rousseau* (1712-1778), escritor y filósofo suizo en lengua francesa; *Jean-Luc Godard* (1930), director de cine francés; *Jean-Paul Sartre* (1905-1980), filósofo y escritor francés; *Joan Antoni Samaranch* (1920), dirigente deportivo y diplomático catalán; *Joan Baez* (1941), cantautora folk estadounidense; *Joan Coromines* (1905-1997), lingüista catalán; *Joan Crawford* (1904-1977), actriz y empresaria estadounidense; *Joan de Serrallonga (Joan Sala i Ferrer)* (1594-1634), bandolero catalán; *Joan Güell* (1800-1872), economista e industrial catalán; *Joan Manel Serrat* (1943), cantautor catalán; *Joan Maragall* (1860-1911), escritor catalán; *Joan Miró* (1893-1983), pintor y escultor catalán; *John Silver*, personaje de *La isla del tesoro*, de Robert L. Stevenson (1850-1894); *Juan Marsé* (1933),

escritor español; *San Juan Bautista*, · profeta del Nuevo Testamento que bautizó a Jesús (Lc 3, 2).

JUDITO/JUDIT

Sexo m./f.
Onom. 7 de septiembre
Cat. /*Judit*
Eus. –
Gall. –

Judit es el nombre de la heroína judía más famosa y el femenino de Iehuda, «judá»; por lo tanto, significa «la judía». A veces se confunde con el germánico *Jutta* («guerra»). Variantes: Judith (etimológica, más frecuente hoy que la original), Judita.

Personajes famosos
Jodie Foster (1962), actriz estadounidense; *Judit Mascó* (1970), modelo española; *Judit*, heroína del libro bíblico que lleva su nombre, verdugo de Holofernes; *Judy Garland (Frances Gumm)* (1922-1969), actriz estadounidense; *Yehudi Menuhin* (1916-1999), violinista estadounidense judío.

JULIÁN/JULIANA

Sexo m./f.
Onom. 4 de enero
Cat. *Julià/Juliana*
Eus. *Julen, Illan/Julene*
Gall. *Xulián, Xián, Xiao/Xuliana, Xiana*

Procede del latín *Iulianus*, gentilicio de Julio.

Este nombre se hizo famoso por una santa en cuyo honor se levantó un santuario en Santillana (contracción de Santa Juliana) del Mar.

La tradición asigna al conde Julián, Olián u Olibán, ofendido por el rey visigodo don Rodrigo, la traición que permitió a los árabes invadir España en el año 711. Variante: Juliano.

Personajes famosos
Julián Marías (1914-2005), escritor y filósofo español; *Juliano el Apóstata* (s. IV), emperador romano; *Julian Barnes* (1946), escritor británico; *Julien Green* (1900-1998), escritor francés; *Julien Sorel*, héroe de la novela de Stendhal (1783-1842) *Rojo y negro*; *Julienne de Norwich* (1342-1416), mística inglesa; *Juliano (Marco Salvio Didio J.)* (¿135?-193), emperador romano.

JULIO/JULIA

Sexo m./f.
Onom. 4 de enero
Cat. *Juli, Juliol/Júlia*
Eus. *Iuli, Yuli/Iule, Yule*
Gall. *Xulio/Xulia*

Nombre popularísimo en Roma, hacía alusión al legendario Iulus, hijo de Eneas, del cual se consideraba descendiente la familia romana Julia.

Fue difundido por el famoso caudillo Julio César, quien dio su nombre y un mes al calendario juliano, vigente hasta 1582. Por ello el nombre se aplicaba a los nacidos durante ese mes. Prosiguió la fama del nombre con numerosos papas y con la Julieta shakespeariana. Derivados: Julieta, Julita.

Personajes famosos
Julia Caba Alba (1902-1988), actriz española; *Julia Otero* (1959), periodista española; *Julia Roberts* (1967), actriz estadounidense; *Julio Caro Baroja* (1914-1995), etnólogo e historiador castellano; *Cayo Julio César* (100-44 a. de C.), militar, político e historiador romano; *Julio Cortázar* (1914-1984), escritor argentino; *Julio Iglesias* (1943), cantante español; *Julio Verne* (1818-1905), escritor francés; *Julius (Groucho) Marx* (1895-1977), actor estadounidense.

KEVIN

Sexo m.
Onom. Como Juan
Cat. –
Eus. –
Gall. –

Del antiguo irlandés *Coemgen*, «bonito nacimiento», para otros procede del apellido *Mac Eoin*, «hijo de Eoin» (Juan). Es el nombre de un santo irlandés, común en Irlanda. Se ha popularizado en España en los últimos años a través del cine. En 2008, alcanzó el lugar 86 en el *ranking*, pero había llegado al 40 en años anteriores.

Personajes famosos
Kevin Costner (1955), actor y director estadounidense; *Kevin Kline* (1947), actor estadounidense.

LAIA

Sexo f.
Onom. Como Eulalia
Cat. *Laia*
Eus. –
Gall. –

Hipocorístico catalán de Eulalia (a través de Olalla y Lalla), muy difundido primero en Cataluña, y en la actualidad en prácticamente toda España.

Personajes famosos
Laia, protagonista de la novela homónima del escritor catalán Salvador Espriu (1913-1985).

LARA

Sexo f.
Onom. s/o, s. c. c. Laria, Hilaria, el 13 de enero
Cat. *Lara*
Eus. –
Gall. –

Nombre griego que deriva de *lala*, «la charlatana», en alusión al personaje mitológico, madre de los lares romanos, dioses que presidían la casa (lat. *lar*, «lar, hogar, casa»).

Es un nombre muy extendido en Rusia y popularizado por la novela llevada al cine *El doctor Zhivago*, del poeta y novelista ruso Boris Pasternak.

Personajes famosos
Lara, en la mitología griega, ninfa condenada al silencio eterno por haber revelado un secreto; *Lara*, heroína de la novela *El doctor Zhivago*, de Boris Pasternak (1890-1960); *Santa Larisa* (s. IV), venerada por la Iglesia ortodoxa.

LAURENCIO/LAURENCIA

Sexo m./f.
Onom. 10 de agosto
Cat. *Laurenci/Laurència*
Eus. *Laurendi, Laurentxu/Laurende*
Gall. *Lourenzo/Lourenza*

Procede del término latino *Laurentius*, gentilicio de *Laurentum*, ciudad del Lacio así denominada, según Virgilio, por un famoso laurel *(laurus)*.

Por extensión, pasó a significar «coronado de laurel», es decir, «victorioso» (v. también *Laura*). Variante: Lorenzo.

Personajes famosos
Laurence Sterne (1713-1768), novelista inglés; *Laurence Kerr Olivier* (1907-1989), actor y escenógrafo inglés; *Laurent Fignon* (1960), ciclista francés; *Lawrence Durrell* (1912-1990), novelista británico; *Lauren Bacall* (1924), actriz estadounidense; *Laurencia*, personaje de la comedia dramática *Fuenteovejuna*, de Lope de Vega (1562-1635).

LAURO/LAURA

Sexo m./f.
Onom. 18 de agosto
Cat. *Laure/Laura*
Eus. –
Gall. *Lauro/Laura*

Del latín *laurus*, «laurel» y, por extensión, «victorioso» (v. *Laurencio*), en alusión a Apolo, cuyos templos se adornaban con esta planta.

Es sinónimo de numerosísimos nombres, todos alusivos a la idea de victoria: Almanzor, Aniceto, Berenice, Dafne, Esteban, Eunice, Laureano, Loreto, Nicanor, Nicasio, Nicetas, Panteno, Sicio, Siglinda, Suceso, Víctor, Victoria.

Popularizado por la dama provenzal inspiradora del famoso *Cancionero* de Petrarca, ha pasado a ser uno de los nombres preferidos en España en los últimos años.

Es especialmente famosa la variante *Lorelei*, la sirena del Rin.

Personajes famosos
Santos Lauro y Floro († 150), sepultados vivos en defensa de su templo; *Laura Barsi* (1711-1778), científica y filósofa italiana; *Laura Dern* (1967), actriz estadounidense; *Laura* (s. XIV), amada del poeta italiano Petrarca; *Laurie Anderson* (1947), representante del mundo multimedia artístico estadounidense; *Lauro Olmo* (1922-1994), dramaturgo español.

LEIRE

Sexo f.
Onom. 15 de agosto; también el 9 de julio
Cat. –
Eus. *Leire*
Gall. –

Leire es un monasterio de Sangüesa, en Navarra, de donde toma el nombre su Virgen. El origen del nombre es incierto, pero posiblemente procede de *legionarius*, «legionario». La forma compite con Leyre, más antigua.

Personajes famosos
Leire Pajín (1976), política socialista española.

LIDIA

Sexo f.
Onom. 26 de marzo
Cat. *Lídia, Lydia*
Eus. *Lide*
Gall. *Lidia*

Procede del griego *lydía*, «originario de Lyd», antiguo nombre de la comarca de Lidia, en Asia Menor. Variantes: Lida, Lydia, esta última más frecuente en Cataluña.

Personajes famosos
Lídia Bosch (1960), actriz catalana; *Lydia Cabrera* (1899-1991), escritora cubana; *Santa Lydia*, en el Nuevo Testamento, primera conversa al cris-

tianismo por San Pablo (Act 16, 14-15); *Lydia Gueiler Tejada*, presidenta de Bolivia de 1979 a 1980.

LORENA

Sexo f.
Onom. 15 de agosto
Cat. *Lorena*
Eus. –
Gall. –

Advocación mariana francesa, alusiva a la Virgen de la comarca de Lorraine, antigua Lotharingia, nombre que hace referencia a su soberano Lotharius, hijo de Ludovico Pío.

Personajes famosos
Lorena Harding, protagonista de una serie de novelas de José Mallorquí (1913-1972); *Lorena Gómez Pérez* (1986), cantante española.

LORENZO/LORENZA

Sexo m./f.
Onom. 10 de agosto
Cat. *Llorenç/Llorença*
Eus. *Laurendi, Laurentz, Lontxo/Laurende, Laurentze*
Gall. *Lourenzo/Lourenza*

Forma evolucionada de Laurencio (v.), por monoptongación. La leyenda afirma que San Lorenzo, diácono de la Iglesia romana, había nacido bajo un laurel.

Su martirio (fue quemado vivo en unas parrillas) fue reme-morado por Felipe II en el monasterio de El Escorial, consagrado al santo, con la forma de una parrilla invertida.

Personajes famosos
Llorenç Riber (1881-1958), escritor mallorquín; *Lorenzo de Medici, el Magnífico* (1449-1492), político y humanista italiano; *Lorenzo Batlle*, presidente de Uruguay de 1868 a 1872; *Lorenzo Latorre*, presidente de Uruguay de 1876 a 1880; *Lorenzaccio*, protagonista del drama del mismo nombre del escritor francés Alfred de Musset (1810-1857), turbulento, medroso y lleno de odio hacia su tiránico señor.

LOURDES

Sexo f.
Onom. 11 de febrero
Cat. *Lourdes, Lorda*
Eus. *Lorda*
Gall. –

Advocación mariana francesa, alusiva a las apariciones de la Virgen a la vidente Bernardette Soubirous, en 1858, en la localidad del mismo nombre.

La forma original del topónimo es Lorde, una palabra vasca que significa «altura prolongada en pendiente».

Variante: Lurdes.

Personajes famosos
Lourdes Flores (1959), política peruana; *Lourdes Ortiz* (1943), novelista española.

Lucas/Luca

Sexo m./f.
Onom. 18 de octubre
Cat. *Lluc/Lluca*
Eus. *Luca, Lukas, Luk/*
Gall. *Lucas/*

Procede del griego *Loukas*, de la misma raíz que Lucía (v.). Es un nombre popularizado por el evangelista. A veces se considera erróneamente sinónimo de Luis. Derivado: Lucano.

Personajes famosos
Luca Signorelli (¿1450?-1523), pintor italiano; *Lucas Cranach* (1472-1553), pintor y grabador alemán; *Luce Irigaray* (1930), psicoanalista, teórica feminista y filósofa francesa, de origen belga.

Lucío/Lucía

Sexo m./f.
Onom. 13 de diciembre
Cat. *Lluç/Llúcia, Lluça*
Eus. *Luki/Lutxi*
Gall. */Lucía*

Del latín *Lucius*, y este, de *lux*, «luz», es la abreviatura de *prima luce natus*, «nacido con la primera luz». Por esta razón, Santa Lucía, virgen siciliana a quien martirizaron sacándole los ojos, es patrona de los ciegos y mediadora en las enfermedades de la vista. El nombre, de gran popularidad, tiene numerosos derivados y variantes: Lucelia, Luciano, Lucinda, Lucidio, Lucila, Lucina, Lucinio, Luciniano, Lucino. Fue popularizado por la ópera *Lucia de Lamermoor*, de Donizetti. No debe confundirse con Lucio, de significado análogo, ni con Luz (Virgen de la Luz), del que suele tomarse como sinónimo.

Personajes famosos
Lucía Bosé (1931), actriz italoespañola; *Santa Lucía* (¿283?-¿304?), virgen y mártir cristiana; *Lucio Cornelio Sila* (138-78 a. de C.), general y político romano; *Lucio Anneo Séneca* (4 a. de C.-65 d. de C.), escritor, filósofo y político latino; *Lucio Tarquinio* (s. VI a. de C.), último rey de Roma; *Lúcio Costa* (1902-1998), arquitecto brasileño; *Lucio*, personaje irónico y burlón de *La Metamorfosis*, de Apuleyo (s. II).

Luna

Sexo f.
Onom. s/o
Cat. –
Eus. –
Gall. –

Nombre de fantasía, creado por el dramaturgo y poeta español Lope de Vega a partir del astro.

Es sinónimo de Selene.

Ha sido retomado últimamente, llegando a alcanzar el lugar 86 en el *ranking* de nombres más impuestos por los españoles en el año 2008.

Personajes famosos
Luna, personaje de *El anticristo*, de Lope de Vega (1562-1635).

Manuel/Manuela

Sexo m./f.
Onom. 22 de enero
Cat. *Manel, Manuel/Manela, Manuela*
Eus. *Imanol, Manu/Imanole, Manoli*
Gall. *Manuel, Manel/Manuela, Manela*

Abreviación del nombre hebreo *Emmanuel* («Dios con nosotros»), fue un personaje citado por el profeta Isaías e identificado posteriormente con el Mesías (v. *Emma*). Hipocorístico masculino: Manolo, de gran popularidad en España. Hipocorístico femenino: Emma.

Personajes famosos
Immanuel Kant (1724-1804), filósofo alemán; *Manolo Santana* (1938), tenista español; *Manuel Azaña* (1880-1940), político y escritor español; *Manuel Benítez, el Cordobés* (1936), torero español; *Manuel de Falla* (1876-1946), compositor andaluz; *Manuel de Godoy* (1767-1851), estadista extremeño; *Manuel de Montoliu* (1877-1961), crítico e historiador de la literatura catalán; *Manuel de Pedrolo* (1918-1990), escritor catalán; *Manuel Estiarte* (1961), jugador de waterpolo español; *Manuel Fraga Iribarne* (1922), político gallego; *Manuel Vázquez Montalbán* (1939-2003), escritor es-

pañol; *Manuela Malasaña* (1791-1808), heroína de la Guerra de la Independencia española.

Mar

Sexo f.
Onom. 15 de agosto; en Granada, el último sábado de septiembre
Cat. *Mar*
Eus. *Itsaso, Itxaso*
Gall. –

Nombre abreviado de Nuestra Señora del Mar o María del Mar, patrona de marineros y otros oficios náuticos. También es el hipocorístico de otros nombres femeninos que empiezan así: María, Marcela. De Mar derivan nombres como el hebreo Marah, «amargura».

Personajes famosos
María del Mar Bonet (1947), cantautora mallorquina.

Marcos/Marcosa

Sexo m./f.
Onom. 25 de abril
Cat. *Marc/*
Eus. *Marka/*
Gall. *Marcos/*

Tras unos siglos de decadencia, este nombre registra hoy una sorprendente popularidad. Procede del latín *Marcus*, derivado de Marte, dios de la guerra, que inspira muchos otros nombres (Marceliano, Marcelino, Marcelo, Marcial, Marciano, Marcio), por la raíz *mar*, «varón». Fue llevado por un evangelista, patrón de Venecia, que tiene como símbolo un famoso león. Se han popularizado últimemente las formas catalana *Marc* e italiana *Marco*. Variante: Marco.

Personajes famosos
San Marcos o *Juan Marcos* (s. ı), evangelista; *Mark Spitz* (1950), nadador estadounidense; *Marco van Basten* (1964), futbolista holandés; *Mark Knopfler* (1949), guitarrista de *rock* británico, miembro del grupo *Dire Straits*; *Mark Twain (Samuel Langhorne Clemens)* (1835-1910), escritor estadounidense; *Marco Antonio* (82-30 a. de C.), triunviro romano, amante de Cleopatra; *Marco Polo* (1254-1324), viajero veneciano; *Marco Ulpio Trajano* (53-117), emperador romano; *Marco Pantani* (1970-2004), ciclista italiano.

MARÍA

Sexo f.
Onom. María, madre de Dios, 24 de enero (Asunción, 15 de agosto); María de Cervelló, vg., 19 de septiembre; María de la Cabeza, 9 de septiembre; María Egipciaca, 2 de abril
Cat. *Maria* (hipocorísticos: *Mari, Mariona*)
Eus. *Miren, Mari, Maddi, Maia*
Gall. *María* (hipocorísticos: *Marica, Maruxa*)

Es, sin duda, el nombre femenino más popular en España, pero por esta misma causa es poco frecuente llevarlo solo (habitualmente constituye el complemento de otro). Aunque en los últimos años ha cedido los primeros lugares a otros nombres, conserva un puesto privilegiado. Procede del hebreo *Miryam*, para el cual se han propuesto hasta setenta interpretaciones; citaremos dos de las más conocidas: el hebreo *mara*, «contumaz», y el egipcio *mrym*, «amada de Amón», es decir, de Dios. El nombre aparece transformado en la Vulgata en la actual María, cuyo uso no se popularizó hasta bien entrada la Edad Media, a causa de tabúes religiosos análogos a los que rodeaban los nombres de Cristo o Jesús (v.). Derivados y equivalentes: Marina, Marica, Míriam, Mireya, Mariona, Mari.

Personajes famosos
Maria Aurèlia Capmany (1918-1991), escritora catalana; *Maria Callas (Maria Klogerópulos)* (1923-1977), soprano griega; *María Cristina de Austria* (1858-1929), reina y regente de España, madre de Alfonso XIII; *María Guerrero* (1868-1928), actriz y empresaria teatral española; *María Luisa de Parma* (1751-1819), reina de España, esposa de Carlos IV; *María Moliner* (1900-1981), lexicógrafa española; *Maria Santpere (Mary Santpere)* (1917-1992), actriz catalana; *María Zambrano* (1904-1991), escritora y filósofa española; *Marie Brizard* (1714-1801), industrial licorera fran-

cesa; *Marie Curie (Maria Sklodows-ka)* (1867-1934), física francesa de origen polaco; *Mary Pickford* (1893-1979), actriz canadiense; *Mary Shelley* (1797-1861), novelista británica conocida por su *Frankesntein*.

MARIANO/MARIANA

Sexo m./f.
Onom. 19 de agosto
Cat. *Marià, Marian/Mariana, Marianna*
Eus. *Maren/Marene*
Gall. *Mariano/Mariana*

Procede del latín *Marianus*, gentilicio de *Mario* (el sufijo *-anus* significa «relativo a, de la familia de»). Alude también a la devoción a la Virgen María. No tiene relación con el femenino francés *Marianne* o el italiano *Marianna*, compuestos de María y Ana. Variante femenina: Marian.

Personajes famosos
Marià Fortuny (1838-1874), pintor y grabador catalán; *Mariana de Austria* (1634-1696), reina de España, esposa de Felipe IV; *Mariana Pineda* (1804-1831), heroína andaluza; *Mariano Haro* (1940), corredor de fondo español; *Mariano José de Larra* (1809-1837), escritor castellano; *Mariana*, personaje de *Medida por medida*, de William Shakespeare (1564-1616), mujer abandonada por su amante; *Marianela*, protagonista de la novela del mismo nombre de Benito Pérez Galdós (1843-1920), un alma hermosa encerrada en un cuerpo poco agraciado.

MARINO/MARINA

Sexo m./f.
Onom. 4 de septiembre
Cat. *Marí/Marina*
Eus. *Marin/Mariñe, Itsasne*
Gall. *Mariño/Mariña*

Del latín *Marinus*, «marinero, del mar» (como Pelagio, Morgan, Póntico), en femenino es considerado una variante de María (en realidad, procede de *Marinus*, el verdadero gentilicio de María; cf. *Mariano*). Variante: Marín.

Personajes famosos
Marina Rossell (1953), cantautora catalana; *Marina Tsvetaieva* (1894-1941), poetisa rusa; *Marino de Tiro* (s. I), matemático y geógrafo griego; *Marino Marini* (1901-1980), pintor y escultor italiano; *Marina de Malombra*, protagonista de *Malombra*, la primera novela de Antonio Fogazzaro (1842-1911), un tipo de mujer que exalta por la misma enemistad que suscita.

MARIO

Sexo m.
Onom. 19 de enero
Cat. *Màrius*
Eus. –
Gall. *Mario*

Aunque es considerado a menudo el masculino de María, en realidad lo es de Mariana, y aparece en Roma antes de nuestra era, con el general Mario, perteneciente a una *gens* romana que pretendía ser descendiente de Marte, dios de la guerra (v. *Marcos*).

El origen más probable del nombre es *Maris*, forma etrusca de Marte.

Personajes famosos
Mario Benedetti (1920-2009), escritor uruguayo; *Mario Conde* (1948), financiero español; *Mário de Sá Carneiro* (1890-1916), poeta portugués; *Mario del Mónaco* (1915-1982), tenor italiano; *Mario Moreno, Cantinflas* (1911-1993), actor mexicano; *Mário Soares* (1924), presidente de Portugal de 1986 a 1996; *Mario Vargas Llosa* (1936), novelista peruano; *Màrius Torres* (1910-1942), poeta catalán; *Mario*, personaje de *Los miserables*, del escritor francés Víctor Hugo (1802-1885), en el que esboza el autor una figura de sí mismo.

MARTÍN/MARTINA

Sexo m./f.
Onom. 11 de noviembre, Martín de Tours, ob., 11 de noviembre; Martín de Porres, re., 3 de noviembre
Cat. *Martí/Martina*
Eus. *Martie, Martixa, Mattin, Martiñ/Martiñe, Martixa, Martiza*
Gall. *Martiño/Martiña*

Procede del latín *martinus*, gentilicio de Marte: «hombre marcial, belicoso, guerrero». Durante la Edad Media fue difundido por San Martín de Tours. La forma catalana *Martí* rivaliza con la castellana: ocupan los lugares 78 y 53, respectivamente, del listado de los primeros cien nombres del año 2008.

Personajes famosos
Martín López-Zubero (1969), nadador español; *Martín Lutero* (1483-1546), teólogo y reformador alemán; *Martin Scorsese* (1942), director de cine estadounidense; *Martín Fiz* (1963), corredor español de maratón; *San Martín de Tours* (s. IV), que compartió su capa con un mendigo; *Martina Hingis* (1980), tenista suiza; *Martina Navratilova* (1956), tenista estadounidense de origen checo; *Martín Fierro*, personaje del poema homónimo de José Hernández (1834-1886), gaucho obligado a defenderse de las arbitrariedades de quienes le gobiernan.

MARTO/MARTA

Sexo m./f.
Onom. 29 de julio
Cat. *Mart/Marta*
Eus. */Marte*
Gall. */Marta*

Suele interpretarse como el femenino del arameo *mar*, «señor» (presente en el persa *Marza*). Es un nombre bíblico del Nuevo Testamento, popularizado desde la Reforma protestante.

Personajes famosos
Marta, personaje de la Biblia, hermana de María y Lázaro (Lc 10, 38-41); *Marta Mata* (1926-2006), pedagoga catalana; *Marta Robles* (1963), periodista y locutora de radio espa-

ñola; *Marta Sánchez* (1966), cantante española; *Marthe Robin* (1902-1981), mística francesa, fundadora de los Foyers de Charité.

MATEO/MATEA

Sexo m./f.
Onom. 21 de septiembre
Cat. *Mateu/Matea*
Eus. *Matai, Matei/Mate*
Gall. *Mateo/Matea*

Forma helenizada de Matías (a su vez, simplificación del hebreo Matatías, y este, de *mattithyah*, «don de Yahvé»; según otra interpretación, *mathyah*, «fiel a Dios»), fue nombre real en Hungría. Fue impuesto a un evangelista, que era recaudador de tributos, por Jesús al ser incorporado al grupo de apóstoles. Ello le ha valido ser patrón de los aduaneros.

Personajes famosos
San Mateo (s. ı), en el Nuevo Testamento apóstol evangelista (Mt 9,9);

San Matías, un santo de va y viene

¿Por qué el año bisiesto se llama así? La razón es que los romanos duplicaban en esos años el día sexto antes de las calendas de marzo, es decir, el equivalente a nuestro 24 de febrero, situando tras él, y antes del quinto pre-calendas, otro bi-sexto. Este uso persiste todavía en los cómputos eclesiásticos, pues, como dice el refrán, San Matías, cata marzo a cinco días, y si es bisiesto, cátalo al sexto. Es decir, que San Matías, que ordinariamente se celebra el 24 de febrero, cuando el año es bisiesto, es trasladado al 25.

Es frecuente la pregunta: «¿Cuándo debería celebrar su cumpleaños el nacido un 29 de febrero?». La respuesta es fácil: el día 28. Pero existe una secuela no prevista, pues, según la regla eclesiástica anterior, los nacidos un 28 de febrero bisiesto deberían trasladar su onomástica en los no bisiestos al 27; los del 27, al 26, y así sucesivamente hasta los del 25, que pasan al 24. Y a la inversa: mi hija Elisabet, por ejemplo, que nació un 28 de febrero de año no bisiesto, debería celebrar su aniversario, en los bisiestos, el 29.

Gordon Matthew Summer, Sting (1949), músico británico, ex componente de The Police; *Mateo Alemán* (1547-1614), escritor español; *Mateo Garralda* (1969), jugador de balonmano español; *Mateu Morral* (1880-1906), anarquista catalán; *Mateu Orfila* (1787-1853), médico y químico catalán.

MATILDE

Sexo f.
Onom. 14 de marzo
Cat. *Matilde*
Eus. *Matilde*
Gall. *Matilde*

Del germánico *maht-hild*, «guerrero fuerte», es un nombre muy popular en los países germánicos, que conoce gran difusión en España actualmente.

Presenta numerosas variantes: Matilda (inventada por las reglas de concordancia castellana), Mectilda, Mechtildis (formas antiguas), Mahalta, Mafalda.

Personajes famosos
Matilda Sarao (1856-1927), periodista y novelista italiana; *Matilde de Inglaterra (emperatriz Matilde)* (1102-1167), primera mujer en acceder al trono inglés; *Matilde de Toscana (la condesa Matilde)* (1046-1115), amiga y aliada del papa Gregorio VII; *Matilde Rodríguez* (1860-1913), actriz española; *Matilde de la Móle*, personaje femenino de la novela de Stendhal (1783-1842) *Rojo y Negro*, segunda amante y finalmente esposa de Julien Sorel.

MERCEDES

Sexo f.
Onom. 24 de septiembre
Cat. *Mercè*
Eus. *Eskarne, Mertxe, Mesede*
Gall. *Mercedes, Mercede*

Advocación mariana: la Virgen de la Merced, patrona de Barcelona. Procede del latín *merx*, «mercancía, valor de una mercancía»; de ahí el sentido posterior de «merced, misericordia, perdón». La Orden de la Merced fue fundada en 1218 para la redención de los cautivos apresados por los piratas berberiscos. Hipocorístico: Merche.

Personajes famosos
Mercè Capsir (1902-1969), cantante catalana; *Mercè Rodoreda* (1909-1983), escritora catalana; *Mercedes Cabello de Carbonera* (1847-1909), escritora peruana; *Mercedes Milà* (1948), periodista catalana; *Mercedes Sosa* (1935-2009), cantante popular argentina.

MIGUEL/MIGUELA

Sexo m./f.
Onom. 28 de septiembre
Cat. *Miquel/Miquela*
Eus. *Mikel, Mitxel, Mixel, Garikoiz/ Mikele, Mikela*
Gall. *Miguel/Miguela*

Nombre hebreo del Antiguo Testamento que lleva el arcángel jefe de las cohortes celestiales que derrotó a Satanás (Act 12, 7). Procede del hebreo *mika-el,* «Dios es justo, incomparable» o, simplemente, «¿Quién como Dios?». Es un nombre muy popular en España desde el Renacimiento. Es muy frecuente el compuesto Miguel Ángel. Formas femeninas: Micaela, Miguelina.

Personajes famosos
Michael Collins (1930), uno de los tres primeros astronautas en alcanzar la Luna; *Michael Faraday* (1791-1867), físico y químico inglés; *Michael Jackson* (1958-2009), cantante estadounidense; *Michael Jordan* (1963), jugador de baloncesto estadounidense; *Michael Schumacher* (1969), piloto alemán de Fórmula 1; *Michel Platini* (1955), futbolista francés; *Michelangelo Antonioni* (1912), director de cine italiano; *Michelangelo Caravaggio* (1573-1610), pintor italiano; *Michelle Pfeiffer* (1958), actriz estadounidense; *Mick Jagger* (1943), cantante británico; *Miguel Ángel (Michelangelo Buonarotti)* (1475-1564), escultor, pintor, arquitecto y poeta italiano; *Miguel de Cervantes* (1547-1616), escritor castellano; *Miguel de Unamuno* (1864-1936), escritor vasco; *Miguel Delibes* (1920), novelista castellano; *Miguel Hernández* (1910-1942), poeta valenciano; *Miguel Indurain* (1964), ciclista español; *Miguel Servet (Miguel Serveto Conesa)* (1511-1553), médico y teólogo aragonés; *Mijail Bakunin* (1814-1876), dirigente y pensador revolucionario anarquista; *Mijail Gorbachov* (1931), político ruso, iniciador del *glassnost;* *Mikis Theodorakis* (1925), músico y

político griego; *Miquel Martí i Pol* (1929-2003), poeta, escritor y traductor catalán; *Michelle Obama* (1964), esposa del presidente de Estados Unidos Barack Obama.

MIREIA

Sexo f.
Onom. Como María o Milagros
Cat. *Mireia*
Eus. *Mireia*
Gall. –

Forma catalana de Mireya, que se ha hecho más popular que esta última. Este nombre fue popularizado por Fréderic Mistral en su poema homónimo (1859), *Mirèio;* el propio poeta declaraba haberlo recibido de su abuela materna, y lo asimilaba a Míriam, pero existe una Santa Mirella en el siglo V, por lo que parece más probable que haga referencia a *miracla,* «milagro». O, según otras fuentes, a Margarita. Es un nombre muy popular en la Provenza, y, a través de Cataluña, también ahora en toda España. Con el mismo significado tenemos Milagros, Miranda, Maravilla, Mirón, Prodigios.

Personajes famosos
Mireille Mathieu (1946), cantante francesa; *Mireille Darc* (1938), actriz francesa; *Mirella Freni* (1936), soprano de ópera italiana; *Mireya,* protagonista del poema del mismo nombre del escritor francés Fréderic

Mistral (1830-1914), personaje de suave feminidad.

MÍRIAM

Sexo f.
Onom. 15 de agosto
Cat. *Míriam*
Eus. –
Gall. *Míriam*

Forma primitiva hebrea de María (v.), hoy utilizada como nombre independiente. En realidad, María fue el nombre con que fue traducido en la Vulgata el hebreo *mrm*, asimilándolo al femenino de Mario (v.), nombre corriente en la antigua Roma.

Variante gráfica: Miryam. Es incorrecto, pero también se utiliza, Myriam.

Personajes famosos
Míriam, nombre de la Madre de Jesús en el original griego de la Biblia; *Míriam*, protagonista de la novela *El fauno de mármol*, del escritor estadounidense Nathaniel Hawthorne (1804-1864), joven pintora bella y misteriosa.

MOHAMED

Sexo m.
Onom. 23 de julio
Cat. –
Eus. –
Gall. –

En realidad es un título usado en los países árabes, equivalente a «honorable», por alusión a Mahoma *(Muhammad)*, el profeta fundador del islam. Con el tiempo se ha convertido también en un nombre más.

La fuerte presencia inmigratoria en nuestro país lo ha colocado, en 2008, en el lugar 51 de los nombres más usados y muestra una continua ascensión.

Personajes famosos
Mohamed Alí (Cassius Clay) (1942), boxeador estadounidense.

MÓNICO/MÓNICA

Sexo m./f.
Onom. 27 de agosto
Cat. *Mònic/Mònica*
Eus. *Monika/Monike*
Gall. *Mónico/Mónica*

Aunque siempre se ha utilizado, este nombre conoce una popularidad arrolladora actualmente.

Se trata de la forma femenina del griego *monachós*, que significa «monje» (de *monos*, «uno, solo, solitario»).

Personajes famosos
Monica Bellucci (1904), modelo y actriz italiana; *Monica Seles* (1973), tenista de origen serbio; *Monica Vitti (Maria Luisa Cecciarelli)* (1931), actriz italiana; *Monique Cerf (Barbara)*, (1930-1997), cantante francesa; *Monique Roi (Ludmila Tcherina)* (1924-2004), bailarina francesa; *Santa Mónica (s. IV)*, madre de San Agustín.

Lladó en Lladó, San Pedro en Roma y Montserrat en Montserrat

Muchas veces las reuniones de personas que comparten el mismo apellido se producen por un móvil interesado (una herencia), pero en otras ocasiones los móviles son más humanos. En 1999, unas 400 personas apellidadas Lladó, desde artesanos hasta un ministro, se reunieron por novena vez en Campos (Mallorca). Se trataba de un escenario excepcional: habitualmente estos encuentros tenían lugar en la población ampurdanesa de Lladó, con el objetivo de conocer y desentrañar perdidos vínculos familiares. Señalemos de paso que el pueblo había protagonizado unos veinte años antes una «rebelión» contra la Generalitat de Cataluña, que pretendía cambiar su nombre por el de Lledó, al parecer más correcto etimológicamente.

Miquel Palau Sampietro, tenaz organizador, fue más allá. Organizó la Asociación de Personas con Apellidos Sampetrinos (APAS), es decir, del tipo San Pedro, Sampedro, Sampietro, Santpere, Sempere, Sanpedor, etc., la cual vio oportuno desplazarse en 1989 a Roma para visitar la tumba de su patrón. Más de un centenar de sampetrinos participaron en el viaje y fueron recibidos por el Papa.

El número sería sobrepasado unos años más tarde. En 1994 se reunieron en el Monasterio de Montserrat (Barcelona) un millar de tocayos del apellido Montserrat. El autor de la iniciativa fue Agustí Montserrat, y entre los asistentes había alguna persona cuyo nombre completo era Montserrat Montserrat Montserrat.

También en 1994 se reunieron en La Llacuna las personas del tronco común Busquet, organizadas por Eduard Brosa. La reunión llegó a los 167 asistentes. En 1995 se congregaron en Guimerà (Lleida) las personas de este apellido, con motivo del 150 aniversario del nacimiento del escritor y dramaturgo Àngel Guimerà. En 1996 los Monés de Badalona celebraron su

(Continúa)

168

25.ª reunión anual. Unos 70 Barallobre se reunieron el 14 de julio de 2007 en Galicia (TV5).
En otras ocasiones, el interés de esas reuniones radica en el aspecto genealógico. Hablando precisamente de Montserrat, el ilustre egarense Antoni Maria Marcet i Poal (1878-1946), que fue abad del monasterio, era hijo del matrimonio Miquel Marcet-Vicenta Poal, celebrado en 1842, del que se cuentan hoy un total de 1639 descendientes. Trescientos de ellos se reunieron en 1994 en el monasterio que dirigió su ilustre familiar.

◇◇◇◇◇◇◇◇◇

MONTSERRAT

Sexo m./f.
Onom. 27 de junio u 8 de septiembre
Cat. *Montserrat/Montserrat*
Eus. *Muntsaratz, Muntxaraz/Muntsaratz, Muntxaraz*
Gall. */Montserrat*

Advocación mariana: Virgen del *Mont-serrat*, «monte aserrado» (por el aspecto de los picachos), patrona de Cataluña.
Hipocorísticos: Montse, Muntsa (incorrecto). Hipocorístico catalán: *Rat*.
Variante usada en Hispanoamérica: Monserrat; allí es también nombre masculino.

Personajes famosos
Montserrat Caballé (1933), soprano lírica catalana; *Montserrat Gudiol* (1933), pintora catalana; *Montserrat Roig* (1946-1991), escritora catalana.

NADIA

Sexo f.
Onom.
Cat. *Nàdia*
Eus. –
Gall. –

En realidad es un nombre ruso masculino, pero se utiliza como femenino, equiparándolo al diminutivo del ruso *Nadezhna*, equivalente a nuestra Esperanza. La moda lo ha convertido en los últimos años en uno de los más empleados, al igual que su variante Nadina (la auténtica forma femenina).

Personajes famosos
Nadia Comaneci (1961), deportista rumana; *Nadine Gordimer* (1923), novelista sudafricana en lengua inglesa, premio Nobel de Literatura de 1991; *Santa Nadia* († 640), musulmana convertida al cristianismo y mártir.

NAHIA

Sexo f.
Onom. s/o
Cat. –
Eus. –
Gall. –

Nombre euskera, puesto de moda últimamente, incluso con otras variantes ortográficas (Naia, Naïa, Naya). Su significado es «deseo», aunque la grafía corresponde a la variante no normalizada de la lengua, que en el euskera oriental suele prescindir de la hache. La forma Naia siginificaría también «surco» (del arado), Naya sería la forma castellanizada y Naïa es una forma bretona, sin relación etimológica. Actualmente, el uso se escinde entre las formas ortográficas Nahia y Naia. En 2008, Nahia ocupó el lugar 95 del *ranking* de nombres más impuestos en nuestro país y Naia, el número 98.

NAIARA

Sexo f.
Onom. s/o
Cat. –
Eus. –
Gall. –

Nombre vasco intraducible, derivado, al parecer, del árabe *anijar*, «carpintero», de donde surgió el topónimo Nájera (La Rioja), lo-

calidad que sigue teniendo como principal artesanía la fabricación de muebles. De ahí pasó a designar abreviadamente a la Virgen de Santa María la Real de Nájera. La variante gráfica Nayara alterna en el uso con la principal. En el año 2008 ocupó el lugar 61 en el *ranking*, mientras que Naiara fue el 57. Variante: Nayara.

NATALIO/NATALIA

Sexo m./f.
Onom. 27 de julio
Cat. *Natali/Natàlia*
Eus. *Natal/Natale*
Gall. *Natalio/Natalia*

Alude al día natalicio por antonomasia, el del Salvador, presente también en los antropónimos Natividad y Natal, aunque el primero suele referirse más bien a la Natividad de la Virgen María. Muy popular en los últimos años, incluso en la forma hipocorística rusa *Natacha* (sin relación con *Sacha*, que en realidad es hipocorístico de Alejandro y muy frecuente en Francia). Hipocorístico de Natividad: Nati.

Personajes famosos
Natalie Portman (1981), actriz estadounidense de origen israelí; *Nathalie Sarraute* (1902-1999), escritora francesa de origen ruso, figura del *nouveau roman*; *Natalie Wood (Natasha Nicholas Gurdin)* (1938-1981), actriz estadounidense; *Nati Mistral*

(1935), actriz española; *Nativel Preciado (Natividad Isabel González Preciado)* (1948), periodista y escritora española.

NEREO/NEREA

Sexo m./f.
Onom. 12 de mayo
Cat. *Nereu/Nerea*
Eus. *Nera/Nere, Nerea*
Gall. *Nereo/Nerea*

Nombre mitológico, adoptado por el cristianismo. Deriva de *náo*, «nadar». No hay que confundirlo con Nereida, del griego *Nereis*, «hija de Nereo». Derivado: Nerina.

Personajes famosos
Nereo, en la mitología griega, hijo del Océano y de Tetis y esposo de Doris; *Santos Aquileo y Nereo* (s. III), siempre juntos, quizás hermanos, mártires; *Nereu Ramos* (1888-1958), presidente de Brasil de 1955 a 1956; *Nereida*, en la mitología, ninfa hija de Nereo, dios marino esposo de Doris.

NICOLÁS/NICOLASA

Sexo m./f.
Onom. 6 de diciembre
Cat. *Nicolau/Nicolaua*
Eus. *Mikolas, Nikola/Nikole*
Gall. *Nicolo, Nicolao/Nicolasa*

San Nicolás, patrón de marinos y mercaderes, es muy venerado en los países nórdicos y orientales, donde su representación navideña (Santa Klaus, eufonizado Santa Claus) se ha fundido con el Papá Noel de los católicos. El nombre deriva del griego *Nikólaos*, «victorioso en el pueblo». Es sinónimo de Liduvino y Nicodemo. Variante: Nicolao. Hipocorísticos: Colás, Colea, Coleta, Nicolina.

Personajes famosos
Claes Oldenburg (1923), artista pop sueco; *Cole Porter* (1892-1964), compositor estadounidense; *Niccolò Machiavelli (Maquiavelo)* (1467-1527), político y escritor florentino; *Nicolai Rimski-Korsakov* (1844-1908), compositor ruso; *Nicolaie Ceausescu* (1918-1989), político rumano; *Nicolas Cage* (1964), actor estadounidense; *Nicolás Copérnico* (1473-1543), astrónomo polaco; *Nikita Khruschov* (1894-1971), político ruso; *Nicolás Rostov*, personaje de *Guerra y paz*, de Leon Tolstói (1828-1910).

NIEVES

Sexo f.
Onom. 5 de agosto
Cat. *Neus*
Eus. *Edurne*
Gall. *Neves*

Advocación mariana de la Virgen de las Nieves, en Roma, más conocida generalmente por Santa María la Mayor. Alude a su pureza, simbolizada en el color blanco. V. también *Edurne*.

Personajes famosos
María de las Nieves de Braganza
(1852-1941), esposa del pretendiente carlista Carlos VII; *Nieves He-*
rrero (1958), periodista española.

NOÉ/NOELIA

Sexo m./f.
Onom. 10 de noviembre
Cat. *Noè/Noèlia*
Eus. –
Gall. *Noé/Noelia*

Procede del hebreo *noah*, «de
larga vida, longevo» (sinónimo
de Macrobio), en alusión a la supervivencia al diluvio por parte
del patriarca, o quizá de *noah*,
«reposo, descanso», por el sue-
ño posterior a la primera libación
de vino. Actualmente la forma femenina, Noa, es usada también
como masculino.

Personajes famosos
Noé, personaje bíblico, protagonista
del episodio del Diluvio (Gén 5, 29);
Noah Webster (1758-1843), lexicó-
grafo estadounidense.

NOEL/NOELIA

Sexo m./f.
Onom. 21 de febrero
Cat. *Noel/Noèlia*
Eus. –
Gall. *Noel/Noelia*

Forma francesa de Natividad
(*Noël*, v. *Natalia*). Fue famoso

San Noël Pinot, que ascendió al
cadalso recitando la frase inicial
de la misa: *Introibo ad altare*
Dei... Variante femenina: Noela.

Personajes famosos
Noël Babeuf (Gracchus) (1760-
1797), revolucionario francés; *Noel*
Clarasó i Serrat (1899-1985), escritor catalán.

NOEMÍ

Sexo f.
Onom. 4 de junio
Cat. *Noemí, Noemia*
Eus. –
Gall. *Noemia*

Nombre de un famoso personaje
del Antiguo Testamento, la suegra de Rut, a la que esta cuidó ab-
negadamente: *no'omi*, «mi delicia». Variante: Nohemí.

Personajes famosos
Noemí, en el Antiguo Testamento,
suegra de Rut, de cuya unión con
Booz nació Obed, abuelo del futuro
rey David (Rut 1); *Naomi Campbell*
(1966), *top-model* estadounidense.

NORA

Sexo f.
Onom. s/o
Cat. *Nora*
Eus. *Nora*
Gall. *Nora*

Hipocorístico de Leonora. En
árabe, Nora o Naura es un topó-

nimo corriente que significa «noria».

No tiene nada que ver con *Norah*, forma irlandesa de Honoria, aunque en la práctica ambas se emplean de manera indistinta.

Personajes famosos
Norah Lange (1906-1973), escritora argentina; *Nora*, protagonista del drama *Casa de muñecas*, de Henrik Ibsen (1828-1906), que arrastra un duro secreto que transformará su vida familiar.

NURIA

Sexo f.
Onom. 8 de septiembre
Cat. *Núria*
Eus. –
Gall. *Nuria*

Se trata de una advocación mariana, aplicada a la Virgen de este santuario catalán.

El topónimo podría proceder del vasco *n-uri-a*, «lugar entre colinas».

Existe un nombre árabe casi fonéticamente idéntico, *Nuriya*, «luminosa» (cf. Noor, «luz», conocido por la reina Noor de Jordania).

Es muy frecuente el hipocorístico catalán *Nuri*.

Personajes famosos
Núria Espert (1935), actriz catalana; *Núria Furió* (1965), directora y dramaturga catalana.

OLGA

Sexo f.
Onom. 11 de julio
Cat. *Olga*
Eus. –
Gall. *Olga*

Forma rusa de Helga (v.). Deriva del adjetivo sueco *helagher*, «feliz, próspero», que significó después «invulnerable» y, por último, «santo» (cf. ing. *holy* y el saludo alemán *Heil!*; v. también *Alá*). Santa Olga se convirtió al cristianismo adoptando el nombre de Elena, por lo que algunos santorales consideran ambos nombres como equivalentes.

Personajes famosos
Olga Koklova (1891-1955), esposa de Picasso; *Olga Guillot* (1923), cantante mexicana de origen cubano; *Olga Korbut* (1955), gimnasta soviética; *Olga Larin*, personaje de la novela *Eugenio Oneguin*, de Alejandro Pushkin (1799-1837); *Olga*, protagonista, junto con Macha e Irina, del drama *Las tres hermanas*, de Antón Chejov (1860-1904).

ORIOL/ORIOLA

Sexo m./f.
Onom. 23 de marzo
Cat. *Oriol/Oriola*
Eus. –
Gall. –

En la Edad Media se registran en Cataluña algunos Auriol u Oriollus, todos ellos derivados del latín *aurum*, «oro».

Pero la popularidad actual del nombre directamente arranca de San José Oriol, cuyo apellido procedía, en realidad, del nombre catalán de la oropéndola, *oriol* (que alude al color amarillo de este pájaro).

Personajes famosos
San José Oriol (1750-1802), místico barcelonés; *Oriol Bohigas* (1925), arquitecto y urbanista catalán; *Oriol de Bolós* (1924-2007), botánico catalán; *Oriol Martorell* (1927-1996), director musical, pedagogo e historiador catalán; *Oriol Pi de Cabanyes* (1950), escritor catalán; *Oriol Vergés* (1939), escritor catalán; *Oriol Grau* (1964), actor y director teatral catalán.

ÓSCAR

Sexo m.
Onom. 3 de febrero
Cat. *Òscar, Oscar*
Eus. *Anskar*
Gall. *Oscar*

Del germánico *Osovan*, nombre de una divinidad, y *gair*, «lanza»: «lanza de Dios». Es el nombre del santo evangelizador de Suecia y Dinamarca (s. IX) y del imaginario bardo creado por el poeta MacPherson en sus apócrifos cantares gaélicos. En realidad, la forma española es Anscario, del germánico *Ans-gair*, «lanza de

Dios», pero esta versión original ha sido barrida en los últimos años. Sinónimos: Anscario, Gusil, Vandregisilo.

Óscar también es el nombre del popular premio de la Academia de Artes Cinematográficas de Hollywood.

Personajes famosos
Oscar Niemeyer (1907), famoso arquitecto brasileño; *Oscar Wilde* (1854-1900), dramaturgo, poeta, novelista y ensayista irlandés; *Oskar Kokoshka* (1886-1980), pintor y escritor austriaco; *Oscar Luigi Scalfaro* (1918), presidente de la República italiana de 1992 a 1999; *Óscar Raimundo Benavides* (1876-1945), presidente de Perú de 1933 a 1939; *San Anscario* (801-865), obispo de Hamburgo, apóstol de Escandinavia.

PABLO/PABLA

Sexo m./f.
Onom. Pablo, ap., 29 de junio (conversión, 25 de enero); Pablo Miki, pr., mr., 6 de febrero
Cat. *Pau/Paula*
Eus. *Paul, Paulo, Pol/Paule*
Gall. *Paulo/Paula*

Saulo de Tarso (heb. *sha'ul*, «solicitado»), tras su conversión al cristianismo en el camino de Damasco, convirtió su nombre en el latino *Paulus*, «pequeño», más como muestra de humildad que como alusión física (en catalán se dice *més alt que un Sant Pau*, literalmente «más alto que un San

Pablo»). Es uno de los patronímicos más universales que existen en la actualidad, como testifican, por ejemplo, los ejemplos hispanos Pablo Ruiz Picasso, Pau Casals y Pablo Neruda…, por no hablar de tres de los últimos pontífices y de una cincuentena de santos. Sin embargo, en la Edad Media sólo se utilizaba en los países meridionales europeos. La variante Paulo fue revigorizada gracias al papa Paulo VI, que deseó seguir con esta antigua forma del nombre, hoy totalmente abandonada (no así el femenino Paula, tomado directamente del latín). Derivados: Paulino, Paulilo. La forma italiana *Paola* (debe ser pronunciada formando el diptongo *ao*) ha sido muy popular, especialmente gracias a la reina Paola de Bélgica, de origen italiano. La forma catalana *Pau*, hoy muy popular, se confunde con el nombre femenino también catalán *Pau* («Paz»). Otra variante antigua es Pol, a través de la monoptongación de Paúl. Ambas son muy usadas en Cataluña.

Personajes famosos
Pablo Iglesias (1850-1925), político y dirigente socialista gallego; *Pablo Neruda (Ricardo Eliecer Neftalí Reyes)* (1904-1973), poeta chileno; *Pablo Ruiz Picasso* (1881-1973), pintor y escultor español; *Pablo Sorozábal* (1898-1988), compositor vasco; *Pau Casals* (1876-1973), compositor, director y violoncelista catalán; *Pau Gargallo* (1881-1934), escultor español; *Paul Elvard* (Eugène Grindel) (1895-1952), poeta francés; *Paul Cézanne* (1839-1906), pintor provenzal; *Paul Claudel* (1868-1955), poeta y dramaturgo francés; *Paul Gauguin* (1848-1903), pintor francés; *Paul Klee* (1879-1940), pintor suizo; *Paul Newman* (1925-2008), actor estadounidense; *Paul Valéry* (1871-1945), poeta y ensayista francés.

PASCUAL/PASCUALA

Sexo m./f.
Onom. 17 de mayo
Cat. *Pasqual/Pasquala*
Eus. *Bazkoare, Paskal, Paxkal/Paskalin, Paxkalin*
Gall. *Pascual, Pascoal/Pascuala, Pascoala*

La Pascua judía conmemoraba el «paso» *(pesakh)* del pueblo hebreo por el desierto del Sinaí. El nombre fue incorporado por el cristianismo a la conmemoración de la Resurrección del Salvador, de donde surge la adjetivación latina *pasqualis*, «relativo, nacido en la Pascua». Derivados: Pascasio, Pascualino.

Personajes famosos
Pasqual Calbo (1752-1817), pintor y arquitecto mallorquín; *Pasqual Carrión* (1891-1976), ingeniero agrónomo valenciano; *Pasqual Maragall* (1941), político catalán; *Pascual Arrieta (Emilio Arrieta)* (1823-94), cantante español.

PATRICIO/PATRICIA

Sexo m./f.
Onom. 17 de marzo
Cat. *Patrici/Patrícia*
Eus. *Patirki/Patirke*
Gall. *Patricio/Patricia*

El latino *patricius* designaba, en la antigua Roma, a los «hijos de padre», en sentido estricto, es decir, «de padre rico y noble» (el adjetivo sigue designando la minoría autóctona y aristocrática de una ciudad).

El nombre, muy popular en Irlanda en memoria de su evangelizador (s. v), actualmente conoce, en su forma femenina, una popularidad extraordinaria en España.

Personajes famosos
San Patricio (373-463), apóstol de Irlanda; *Grace Patrice Kelly* (1928-1982), actriz estadounidense y princesa de Mónaco; *Patricia Highsmith* (1921-1995), escritora estadounidense; *Patrick Blackett* (1897-1974), físico inglés, premio Nobel de Física en 1948; *Patrich Stewart* (1940), actor británico; *Patrick Swayze* (1952-2009), actor, bailarín y cantautor estadounidense; *Patrick White* (1912-1990), escritor australiano, premio Nobel de Literatura en 1973; *Patt Moss* (1934), corredora de coches británica; *Pathy Schnyder* (1978), jugadora de tenis profesional suiza; *Patty Smith* (1946), cantante y poetisa estadounidense; *Patricio Escobar* (1843-1912), militar, político y presidente de Paraguay desde 1886 hasta 1890.

PEDRO/PETRA

Sexo m./f.
Onom. Pedro, ap., 29 de junio (cátedra en Roma, 18 de enero; cátedra en Antioquía, 22 de abril; *Ad Vincula*, 1 de agosto); Pedro Almató, mr., 3 de noviembre; Pedro Canicio, 21 de diciembre y 27 de abril; Pedro Claver, pr., 9 de septiembre; Pedro Crisólogo, ob., dr., 30 de julio; Pedro de Alcántara, pr., 19 de octubre
Cat. *Pere/Petra*
Eus. *Pello, Kepa, Peru, Beti, Betti/ Kepe, Betisa, Betiza*
Gall. *Pedro/Petra*

Simón, hermano de Andrés, fue nombrado conductor de la Iglesia con las palabras de Jesucristo «Tú eres piedra, y sobre esta piedra edificaré mi iglesia». Así, el que después sería el primer papa pasaba a ser designado con el nombre arameo de *Kefas*, «piedra». Traducido al griego como *Pétros*, al latín como *Petra* y masculinizado más tarde a *Petrus*, este nombre es, en la actualidad, uno de los primeros de la cristiandad, aunque por respeto no lo haya adoptado ningún otro papa (la apócrifa profecía de San Malaquías enlaza el fin del mundo con el inminente Pedro II). Compensan sobradamente esta omisión onomástica papal otros 115 santos, cuatro reyes de Aragón, dos de Castilla, dos emperadores de Brasil, tres zares de Rusia, dos reyes de Chipre y Jerusalén, un zar, un rey de Bulgaria e innumerables personajes de la ciencia, las letras, el arte y cualquier otro ámbito.

Sinónimos: Chantal, Lavinia. Derivados: Petronio, Petronila, Petronaco, Petroquio. Hipocorístico: Perico.

Personajes famosos
Boutros Boutros Ghali (1922), político egipcio; *Pedro Almodóvar (1950),* director de cine español; *Pedro Calderón de la Barca (1600-1681),* dramaturgo español; *Pedro Duque (1963),* ingeniero aeronáutico y astronauta español; *Pedro Guerra (1966),* cantautor canario; *Pedro I el Grande (1672-1725),* zar de Rusia; *Pedro Salinas (1891-1951),* poeta español; *Pere Gimferrer (1945),* escritor, traductor y crítico literario catalán; *Perico Delgado (1959),* ciclista español; *Pete Sampras (Peter John Mathew Sampras) (1971),* tenista estadounidense; *Peter Gabriel (1948),* músico británico; *Peter Paulus Rubens (1577-1640),* pintor flamenco; *Pier Paolo Pasolini (1922-1975),* escritor y actor italiano; *Pierre Cardin (1922),* modista francés, pionero del *prêt-à-porter; Pierre Simon Laplace (1749-1827),* astrónomo, físico y matemático francés; *Pierre-Auguste Renoir (1841-1919),* pintor lemosín; *Piotr Llich Chaikovski (1840-1893),* compositor ruso; *San Pedro († 65),* apóstol, primer papa de la Iglesia; *Peter Pan,* personaje del escocés J. M. Barie; *Perot Rocaguinarda (s. xvi),* famoso bandolero catalán inmortalizado por Cervantes como Roque Guinart.

Pilar

Sexo f.
Onom. 12 de octubre
Cat. *Pilar*
Eus. *Arroin, Abene, Zutoia*
Gall. *Pilar*

Nombre muy extendido en Aragón que hace alusión a la Virgen María, quien, según la tradición, se apareció al apóstol Santiago en los márgenes del río Ebro sobre un pilar (lat. *pila,* «pila, pilastra, pilar») de ágata. Hipocorísticos: Pili, Piluca.

Personajes famosos
María del Pilar Cuesta (Ana Belén) (1951), actriz y cantante española; *Pilar Cernuda (1948),* periodista española; *Pilar Lorengar (Pilar Lorenza y García) (1928-1996),* soprano española; *Pilar Miró (1940-1997),* directora de cine española; *Pilar Prim,* protagonista de la novela homónima del escritor catalán Narcís Oller (1856-1930), mujer triste, llena de melancolía, cuya realidad no responde a sus ilusiones, pero redimida gracias a un gran amor.

Rafael/Rafaela

Sexo m./f.
Onom. 29 de septiembre
Cat. *Rafael, Rafel/Rafaela, Rafela*
Eus. *Errapel/Errapele*
Gall. *Rafael/Rafaela*

Nombre hebreo del Antiguo Testamento, portado por el arcángel de

Tobías. Procede de *rapha-* o *repha-el*, «Dios ha sanado», en alusión a la milagrosa curación del patriarca Tobías. Hipocorístico: Rafa.

Personajes famosos
Rafael (Rafaello Sanzio) (1483-1520), pintor italiano; *Rafael Alberti* (1902-1999), poeta y dramaturgo andaluz; *Rafael Altamira* (1866-1951), jurista e historiador mexicano; *Rafael Azcona* (1926-2008), guionista español; *Rafael de Casanova* (¿1660?-1743), héroe del nacionalismo catalán; *Rafaela Aparicio (Rafaela Díaz Valiente)* (1906-1996), actriz española; *Raffaella Carrà* (1940), cantante italiana; *Rafal Olbromski*, personaje alrededor de cuyas aventuras se desarrolla la acción de la gran epopeya de Polonia en tiempo napoleónico, narrada por Stephan Zeromski (1864-1925).

RAMÓN/RAMONA

Sexo m./f.
Onom. Ramón de Penyafort, pr., 7 de enero; Ramón Llull, mr., 27 de noviembre; Ramón Nonato, 31 de agosto
Cat. *Ramon/Ramona*
Eus. *Erramu, Erramun, Erraimunda/ Erramune*
Gall. *Ramón* (hipocorístico: *Moncho*)/*Ramona*

Nombre muy popular, especialmente en Cataluña, donde varios condes de Barcelona se llamaron así y de donde son originarias diversas formas que han trascendido al resto de España: Raimon,

Raimund, Raimond, Remismund... San Ramón Nonato, así llamado por haber nacido por cesárea, es el iniciador del nombre. Etimológicamente procede del germánico *ragin-mund*, «el que protege por el consejo». Formas antiguas: Raimundo, Remismundo. Hipocorístico: Moncho.

Personajes famosos
Varios condes de Barcelona: *Ramón Berenguer I el Viejo* (1023-1076), *Ramón Berenguer II Cap d'estopes* (1053-1082), *Ramón Berenguer III el Grande* (1082-1131); *Ramon Casas* (1866-1932), pintor y dibujante catalán; *Ramón de Mesonero Romanos* (1803-1882), escritor costumbrista castellano; *Ramón Gómez de la Serna* (1888-1963), escritor castellano; *Ramón J. Sender* (1902-1982), escritor aragonés; *Ramon Llull* (1232-1316), escritor, místico, filósofo y misionero mallorquín; *Ramón María del Valle-Inclán* (1866-1936), escritor gallego en lengua castellana; *Ramón Menéndez Pidal* (1869-1968), filólogo e historiador gallego; *Ramon Muntaner* (1265-1336), cronista, funcionario y soldado catalán.

RAQUEL

Sexo f.
Onom. 2 de septiembre
Cat. *Raquel*
Eus. –
Gall. –

Nombre del Antiguo Testamento. Procede del hebreo *rahel*,

«oveja». Últimamente su popularidad ha renacido. No tiene nada que ver con el germánico *Raquildis*. Se ha introducido la forma inglesa *Rachel*, que debería pronunciarse igual. Lope de Vega creó la forma Raquela como nombre de fantasía.

Personajes famosos
Raquel, en la Biblia, esposa preferida de Jacob (Gén 29, 6-31); *Raquel Meller (Francesca Marquès i López)* (1888-1962), tonadillera española; *Raquel Welch (Raquel Josefina Tejada)* (1940), actriz estadounidense; *Raquela*, personaje de *La madre de la mejor*, de Lope de Vega (1562-1635).

RAÚL/RAÚLA

Sexo m./f.
Onom. 30 de diciembre
Cat. *Raüll, Raül/Raüla*
Eus. –
Gall. *Raul/Raula*

Forma común en que se contraen los nombres Radulfo (*rad-wulf*, «consejo del lobo», o sea, metafóricamente, «del guerrero») y Rodulfo. Presenta el hipocorístico Ruy, que se aplica también a Rodrigo.

Personajes famosos
Ralph W. Lauren (1939), diseñador de moda estadounidense; *Ralph Waldo Emerson* (1803-1882), poeta estadounidense; *Raoul Walsh* (1892-1980), director de cine estadouni-

dense; *Raúl González* (1977), futbolista español.

RICARDO/RICARDA

Sexo m./f.
Onom. 3 de abril
Cat. *Ricard/Ricarda*
Eus. *Errikarta/Errikarte*
Gall. *Ricardo/Ricarda*

Popularísimo en los países anglosajones (recuérdense los reyes de dinastías inglesas), deriva del germánico *rich-hard*, «fuerte por la riqueza». V. *Enrique*.

Personajes famosos
Ricard Bofill (1939), arquitecto y diseñador catalán; *Ricard Salvat* (1934), director teatral y escritor catalán; *Ricard Zamora* (1901-1978), portero de fútbol catalán; *Ricardo I Corazón de León* (1157-1199), rey de Inglaterra; *Richard M. Nixon* (1913-1994), presidente de Estados Unidos de 1969 a 1974; *Richard Strauss* (1864-1949), compositor y director de orquesta alemán; *Richard Wagner* (1813-1883), compositor alemán; *Ricky Martin (Enrique Martín Morales)* (1971), cantante puertorriqueño.

ROBERTO/ROBERTA

Sexo m./f.
Onom. 24 de febrero
Cat. *Robert/Roberta*
Eus. *Erroberta/Erroberte*
Gall. *Roberto/Roberta*

Nombre muy popular en los países germánicos, deriva de *hrod-*

berht, «famoso por la gloria» (v. *Eduardo* y *Berta*).

Variantes antiguas: Rodoberto, Ruperto.

Hipocorístico: Beto.

Personajes famosos
Robert Bunsen (1811-1899), químico alemán; *Robert Capa (Andrei Friedmann)* (1913-1954), fotógrafo estadounidense de origen húngaro; *Robert De Niro* (1943), actor estadounidense; *Robert Graves* (1895-1985), escritor inglés; *Robert Louis Stevenson* (1850-1894), escritor escocés; *Robert Mitchum* (1917-1997), actor y cantante estadounidense; *Robert Redford (Charles Robert Redford)* (1937), actor y director de cine estadounidense; *Robert Schumann* (1810-1856), compositor alemán; *Roberto Rossellini* (1906-1977), director de cine italiano; *Roberto Sebastián Matta* (1911-2002), pintor chileno; *Roy Lichtenstein* (1923-1997), pintor estadounidense; *Roberto de Baviera (el príncipe Ruperto)* (s. XVII), general y almirante inglés; *Roberto el Diablo*, protagonista de varios poemas y composiciones dramáticas francesas de los siglos XIII y XIV.

ROCÍO

Sexo f.
Onom. Domingo de Pascua o 24 de mayo
Cat. /Rosada
Eus. Ihintza
Gall. Rocío

Popular nombre andaluz que alude a la Virgen del Rocío. Procede del latín *ros*, de donde surge *roscidus*, «rociado, cubierto de rocío». A veces ha sido cruzado con Rosa, nombre que, de hecho, tiene el mismo origen.

En 2008 ocupaba el lugar 21 del *ranking*.

Personajes famosos
Rocío Jurado (Rocío Mohedano Jurado) (1944-2006), cantante folclórica española; *Rocío Dúrcal* (1943-2006), cantante y actriz española.

RODRIGO/RODRIGA

Sexo m./f.
Onom. 13 de marzo
Cat. *Roderic/Roderica*
Eus. *Errodeika, Edrigu, Ruisko/Errodeike, Ruiske*
Gall. *Rodrigo* (hipocorístico: *Roi*)/*Rodriga*

Nombre muy frecuente en España en la Edad Media; hoy resucitado. Procede del germánico *hrod-ric*, «rico en gloria» (v. *Eduardo* y *Enrique*). Formas antiguas: Roderico, Ruy.

Personajes famosos
Rodrigo († 711), último rey de los visigodos; *Roderic d'Osona* (ss. XV-¿XVI?), pintor valenciano; *Rodrigo Díaz de Vivar, el Cid Campeador* (¿1043?-1099), guerrero castellano; *Rodrigo Rato* (1949), político español; *Rodrigo Random*, protagonista de la novela *Las aventuras de Rodrigo Random*, de Tobias G. Smollett (1721-1771).

Roger/Rogera

Sexo m./f.
Onom. 22 de noviembre
Cat. *Roger, Rotger/Rogera, Rotgera*
Eus. *Erroxeli/Erroxele*
Gall. *Roxer/Roxera*

Forma primitiva y catalana de Rogelio/Rogelia, hoy muy en boga. Es un nombre medieval (Rodegarius), derivado del germánico *hrod-gair*, «famoso por la lanza» (v. *Eduardo*).
Sinónimos: Angilberto, Gerberto, Geremaro, Ludgerio, Quintigerno. Variantes: Rogerio/Rogeria.

Personajes famosos
Roger Bacon (¿1214?-¿1294?), filósofo y científico inglés; *Roger Bannister* (1929), atleta británico; *Roger de Flor* († 1305), caballero de origen alemán al servicio de la Corona de Aragón, asesinado en Adrianápolis durante la Expedición de Oriente; *Roger Moore* (1927), actor británico; *Roger Vailland* (1907-1965), escritor francés; *Roger van der Weyden (Roger de la Pasture)* (1399-1464), pintor flamenco; *Ruggiero*, personaje de los dramas caballerescos italianos; *Sir Roger de Coverley*, personaje típico creado por el periódico literario inglés *The Spectator*, de Joseph Addison (1672-1719), que, habiendo gozado de la vida, había adquirido la costumbre de filosofar sobre el estado presente de las cosas; *rey Rogerio*, héroe del poema de su mismo nombre compuesto en alemán medieval hacia el año 1150.

Rosana

Sexo f.
Onom. 22 de mayo
Cat. *Rosana, Rosanna*
Eus. –
Gall. *Rosana*

Del latín *roseanus*, «como la rosa, rosáceo». También es combinación de Rosa y Ana. Variante: Rosanna. Rosanio es un nombre de fantasía, creado por Lope de Vega; sería el masculino de Rosana.

Personajes famosos
Rosanna Arquette (1959), actriz estadounidense; *Rossana Rossanda* (1923), política y periodista italiana; *Rosannette*, diminutivo cariñoso de Mlle. Rose-Annette Bron en *La educación sentimental*, de Gustave Flaubert, (1821-1880); *Rosanio*, personaje de *El inobediente*, de Lope de Vega (1562-1635).

Roso/Rosa

Sexo m./f.
Onom. 23 de junio
Cat. *Ros/Rosa*
Eus. *Errosa/Arroxa, Errose, Larrosa*
Gall. *Roso/Rosa*

Nombre evocador de la flor, procedente del latín *rosa*, aunque ha concurrido con diversos nombres germánicos con la raíz *hrod*, «gloria». De ahí la proliferación de derivados: Rosalba, Rosalina, Rosalinda, Rosalía, Rosamunda,

Rosana, Rosario, Rosaura, Rósula, Rosoínda.

Personajes famosos
María Rosa Lida de Malkiel (1910-1962), filóloga argentina; *Rosa Luxemburg* (1871-1919), dirigente revolucionaria y teórica marxista alemana de origen polaco; *Rosa María Sardà* (1941), actriz catalana; *Rosa Montero* (1951), periodista y novelista española; *Rosa Noël (Rosine Stoltz)* (1815-1903) mezzosoprano francesa; *Rosa Sensat* (1873-1961), maestra catalana, organizadora de centros escolares; *Roso Grimau* (1962), militante marxista-leninista venezolano.

RUBÉN

Sexo m.
Onom. 4 de agosto
Cat. *Rubèn, Robèn*
Eus. –
Gall. *Rubén*

Cuenta la tradición que Lía, la madre del patriarca bíblico de este nombre, exclamó al alumbrarlo: «Dios ha visto mi aflicción» *(raá beonyí)*. Todos los nombres de los hijos de Jacob contienen alusiones similares (v. *José y Benjamín*). En otras interpretaciones, Rubén deriva de *raah-ben*, que significa «veo un hijo».

Personajes famosos
Rubén, en la Biblia, primogénito de Jacob (Gén 35, 23); *Rubén Darío (Félix Rubén García Sarmiento)* (1867-1916), periodista y diplomático ni-caragüense; *Rubén Blades* (1948), cantante de salsa panameño.

SALMA

Sexo f.
Onom. s/o
Cat. –
Eus. –
Gall. –

Nombre árabe que significa «pacífica»; tiene la misma raíz que Salomón, el rey judío, hijo de David, famoso por su sabiduría. Se trata de una derivación del hebreo *shelomó*, «pacífico» (como *Casimiro, Federico, Ireneo, Manfredo, Onofre, Pacífico, Zulema*). Últimamente ha sido popularizado por la actriz mexicana Salma Hayek.

Personajes famosos
Salma Hayek (1966), actriz, productora y empresaria mexicana.

SAMUEL/SAMUELA

Sexo m./f.
Onom. 16 de febrero
Cat. *Samuel/Samuela*
Eus. *Samel/Samele*
Gall. *Samuel/Samuela*

Popular nombre hebreo, que hoy todavía se utiliza mucho en los países anglosajones y vive un renacer en España. El Tío Sam representa alegóricamente a Estados Unidos de Norteamérica, aunque su creación se debió al juego de palabras U. S. (*United States*, asimilado a *Uncle Sam*). Etimológicamente, este nombre parece derivar de *samu'el*, «Dios escucha».

Personajes famosos
Samuel, juez bíblico (I Sam); *Sam Neill* (1947), actor neozelandés; *Samuel Beckett* (1906-1989), novelista y dramaturgo irlandés, premio Nobel de Literatura en 1969; *Samuel Butler* (1835-1902), escritor inglés; *Samuel Goldwyn* (1882-1974), productor de cine estadounidense; *Samuel Langhorne Clemens, Mark Twain* (1835-1910), escritor estadounidense; *Samuel Morse* (1791-1872), pintor y físico estadounidense; *Samuel Richardson* (1689-1761), poeta inglés.

SANDRO/SANDRA

Sexo m./f.
Onom. Como Alejandro
Cat. *Sandre/Sandra*
Eus. *Txandra/Txandre*
Gall. *Sandro/Sandra, Xandra*

Hipocorístico del italiano *Alessandro*, naturalizado en nuestro país. También es la forma hipocorística de Alexandra, muy usual en Italia.

Personajes famosos
Sandra Bullock (1971), actriz estadounidense; *Sandra Gilbert* (1936), crítica literaria y poetisa estadouni-

dense; *Sandro Botticelli (Mariano Filipepi)* (1444-1510), pintor, dibujante y grabador italiano; *Sandro Pertini* (1896-1990), estadista italiano; *Sandron*, figurón modenés, campesino necio pero sentencioso.

SANTIAGO/SANTIAGA

Sexo m./f.
Onom. 25 de julio
Cat. *Santiago, Iago/Santiaga, Iaga*
Eus. *Xanti, Santio, Jakes/Xante, Jake*
Gall. *Santiago/Santiaga*

Variante española de Jacob (v.) o Jaime (v.).

Procede del grito de guerra medieval cristiano *Sancte Iacobe*, que alude al apóstol evangelizador de España.

Sus abreviaturas Sant Yago o Santo Yagüe dieron lugar, por aglutinación, al nombre actual. Variante: Tiago.

Personajes famosos
Santiago Calatrava (1951), arquitecto e ingeniero español; *Santiago Carrillo* (1915), político español; *Santiago Casares Quiroga* (1884-1950), político español; *Santiago Dexeus* (1897-1973), ginecólogo catalán; *Santiago Ramón y Cajal* (1852-1934), médico español, premio Nobel de Medicina en 1906; *Santiago Rusiñol* (1861-1931), escritor y pintor catalán; *Santiago Segura* (1964), actor y director de cine español; *Santiago Sobrequés* (1911-1973), historiador catalán; *Santi Millán* (1968), actor catalán.

SARO/SARA

Sexo m./f.
Onom. 9 de octubre
Cat. /Sara
Eus. –
Gall. /Sara

Es uno de los nombres más populares, tanto antiguamente como en la actualidad.

En la Biblia, la esposa de Abraham, que se llamaba inicialmente Saray («querellante»), cambió su nombre por Sarah, «princesa», a propuesta de Yahvé, que la hizo concebir a los noventa años de edad. Variante: Sarah.

Personajes famosos
Sara, en la Biblia, esposa de Abraham (Gén 11, 26); *Sara Montiel (María Antonia Abad)* (1928), actriz y cantante española; *Sarah Bernhardt (Henriette Rosine Bernard)* (1844-1923), actriz francesa; *Sarah M. Ferguson* (1959), duquesa de York; *Sarah Vaughan* (1924-1990), cantante de *jazz* estadounidense; *Saro* († 412), general bárbaro del Imperio romano de Occidente.

SAÚL

Sexo m
Onom. s/o, s. c. c. Saulo
Cat. Saül
Eus. –
Gall. Saúl

Nombre bíblico del Antiguo Testamento. *Sa'ul*, que significa «el deseado», fue el nombre del primer rey de Israel.

Fue helenizado como Saulo/Saula, nombre originario de Pablo de Tarso (*Paulus*, «pequeño», nombre de humildad), fonéticamente similar.

Personajes famosos
Saúl (1020-1000 a. de C.), primer rey israelita del Antiguo Testamento (I Sam 10, 21); *Saul Bellow* (1915-2005), novelista estadounidense, premio Nobel de Literatura en 1976; *Saulo*, primer nombre de Pablo de Tarso, el Apóstol de los Gentiles.

SERGIO/SERGIA

Sexo m./f.
Onom. 24 de febrero
Cat. Sergi/Sèrgia
Eus. Sergi/Serge
Gall. Serxio/Serxia

De origen etrusco, originó el romano *Sergius*. Su significado es dudoso, pero habitualmente se traduce como «guardián». Según Virgilio, procede del nombre del guerrero troyano *Sergestus*.

Se ha utilizado mucho en el seno de la Iglesia oriental, lo que ha inducido a considerarlo, erróneamente, como un nombre ruso. Algunos sinónimos son: Eduardo, Nidgaro.

En la actualidad, la forma catalana, *Sergi*, figura entre los cien nombres preferidos (*ranking* del año 2008).

Personajes famosos
San Sergio I († 701), papa; *San Sergio de Rusia* († 1292), fundador del monasterio de la Santísima Trinidad; *Sergio Alexandrovich* (1857-1905), gran duque ruso; *Sergio Dalma (José Capdevila Pérez)* (1964), cantante catalán.

SHEILA

Sexo f.
Onom. s/o
Cat. *Sheila*
Eus. –
Gall. –

Nombre irlandés procedente de Sile, antigua adaptación de Celia. Posteriormente fue asimilado a otros nombres afines: a Julia, en la misma Irlanda, y en Inglaterra, a Shela, nombre bíblico citado en el Génesis (38, 5).
Variante: Seila.

Personajes famosos
Sheila Scott (Sheila Christine Hopkins) (1927-1988), aviadora británica.

SILVIO/SILVIA

Sexo m./f.
Onom. 21 de abril
Cat. *Silvi/Sílvia*
Eus. *Silbi/Silbe*
Gall. *Silvio/Silvia*

Procede del latín *silva*, «bosque». Se aplica como sobrenombre a la legendaria Rhea Silvia, madre de Rómulo y Remo, los fundadores de Roma. A veces se escribe *Sylvia*, por influencia de la raíz griega *xylos*, «madera, bosque».

Personajes famosos
Silvia, una de las protagonistas de *Los dos hidalgos de Verona*, de William Shakespeare (1564-1616); *Silvio Berlusconi* (1936), magnate de los medios de comunicación y primer ministro de Italia; *Silvio Pellico* (1779-1854), escritor italiano; *Silvia Pinal* (1932), actriz mexicana; *Silvia Plath* (1932-1963), poetisa estadounidense; *Sylvie Vartan* (1942), cantante francesa; *Sylvius L. Weiss* (s. XVII), compositor; *Silvia*, personaje de los *Cantos*, de Giacomo Leopardi (1798-1837).

SOFÍA

Sexo f.
Onom. 18 de septiembre
Cat. *Sofia*
Eus. *Sope*
Gall. *Sofía*

Nombre actualmente en auge en España, pues una de las infantas de la casa real ha sido bautizada de este modo.
Procede del griego *sophia*, «sabiduría».

Personajes famosos
Sophie Bolland (s. XVIII), amiga e inspiradora de Diderot; *Sophie Germain* (1776-1831), matemática francesa; *Sofía Loren (Sofia Scicolone)* (1934), actriz italiana; *Sofía de Gre-*

cia (1938), reina de España; *Sophie Marceau* (1966), actriz francesa.

SONIA

Sexo f.
Onom. Como Sofía
Cat. *Sònia*
Eus. *Xonia*
Gall. *Sonia*

Hipocorístico ruso de Sofía (original: *Sonja*), que se ha convertido en la práctica en un nombre independiente.

Personajes famosos
Sonia Braga (1951), actriz brasileña; *Sonia Delaunay Terk* (1885-1979), pintora francesa *art déco* de origen ucraniano; *Sonia Kovalevskaia* (1850-1891), matemática rusa; *Sonja Henie* (1912-1969), patinadora noruega; *Sonya Rykiel* (1930), diseñadora francesa; *Sonia Marmeladova*, personaje de *Crimen y castigo*, de Fedor Dostoievski (1821-1881), muchacha honrada que se prostituye para salvar a su padre, embrutecido por la miseria.

SUSANA

Sexo f.
Onom. 24 de mayo
Cat. *Susagna, Susanna*
Eus. *Xusana, Zuzen*
Gall. *Susana*

Popular en todas las épocas, este nombre ocupa los primerísimos lugares del listado de nombres más puestos en la actualidad. Procede del hebreo *shushannah*, «lirio gracioso», planta asociada a la pureza, de donde quizá provenga la historia apócrifa sobre la casta doncella bíblica falsamente acusada de adulterio.

Personajes famosos
Susana, personaje bíblico (Dan 13, 2-29); *Susan Sarandon* (1946), actriz estadounidense; *Suzanne Valadon* (1867-1938), pintora y diseñadora francesa; *Susana* (o *Sue*) *Bridehead*, personaje de la novela *Jude, el oscuro*, del novelista y poeta inglés Thomas Hardy (1840-1928), figura delicada de una muchacha cuya alma se debate en un conflicto entre la razón y los instintos.

TERESA

Sexo m./f.
Onom. 15 de diciembre
Cat. *Teresi/Teresa*
Eus. */Terese, Trexa, Talesia*
Gall. */Tareixa, Tereixa*

Aunque el nombre se utilizaba desde siempre en Castilla, con la santa abulense Teresa de Jesús conoció una expansión universal, redoblada gracias a otra santa, en este caso francesa, Teresita del Niño Jesús.

El significado no está claro: es habitual considerarlo la forma femenina del nombre del adivino mitológico Tharesios, procedente del griego *thereios*, «animal salvaje», y, en consecuencia, significaría «cazador». Hipocorísticos: Teresina (con entidad propia por la santa francesa Teresita de Lisieux), Teresita, Tete, Teta.

Personajes famosos
Madre Teresa de Calcuta (Agnes Gonxha Bojaxhiu) (1910-1997), misionera india de origen albanés; Santa Teresa de Jesús (Teresa de Cepeda y Ahumada) (1515-1582), religiosa y escritora mística catellana; Teresa Pàmies (1919), política y escritora catalana; Teresa Parodi (1947), cantautora y compositora argentina; Thérèse Raquin, heroína de Zola (1840-1902); Teresa, personaje de la composición Dexant a part l'estil dels trobadors, de Ausiàs March (1397-1459); Teresa, la Ben plantada, protagonista de la novela homónima de Eugeni d'Ors (1882-1954), retrato simbólico de una muchacha catalana en la que convergen todas las virtudes de una tradición y una raza; Teresita de Lisieux o del Niño Jesús (1873-1997), religiosa francesa.

TOMÁS/TOMASA

Sexo m./f.
Onom. 29 de diciembre
Cat. Tomàs/Tomasa
Eus. Toma, Tomax/Tome, Tomasi
Gall. Tomás, Tomé/Tomasa

En el Nuevo Testamento, Thoma era el nombre de uno de los doce apóstoles famoso por su incredulidad («gemelo, mellizo»); fue helenizado como Didymos. Se trata de un patronímico muy utilizado.

Personajes famosos
Santo Thomas Becket (1118-1170), arzobispo de Canterbury; Santo Tomás de Aquino (1225-1274), teólogo y filósofo italiano; Thomas Alva Edison (1847-1931), inventor estadounidense; Thomas Hobbes (1588-1679), filósofo inglés; Thomas Jefferson (1743-1826), político estadounidense; Thomas Mann (1875-1955), escritor alemán; Thomas R. Malthus (1766-1834), economista y demógrafo inglés; Tom Cruise (1962), actor estadounidense; Tom Hanks (1956), actor estadounidense; Tomás de Torquemada (¿1420?-1498), inquisidor castellano; Tomàs Moragas (1837-1906), pintor catalán; Tomasa Aldana (s. XVII), dama de la reina doña Mariana y amante de Felipe IV; Tomasso Guidi de Giovanni (Masaccio) (1401-1428), pintor italiano; Tommaso Campanella (Giovanni Domenico Campanella) (1568-1639), filósofo, teólogo y poeta italiano; Tomasso Napoli (s. XVIII), monje dominico y arquitecto.

UNAI

Sexo m.
Onom. s/o
Cat. –
Eus. –
Gall. –

Las formas vascas Unai, Artzai, Artzaia/Unaiñe, Unaisa son equivalentes a Pastor/Pastora. Este nombre se ha situado fulminantemente entre los cien primeros del ranking de 2008 (ocupa el lugar 59) y su crecimiento parece en continuo ascenso.

VALERIO/VALERIA

Sexo m./f.
Onom. 29 de enero
Cat. *Valeri/Valèria*
Eus. *Baleri/Balere*
Gall. *Valerio/Valeria*

Del latín *valerus*, «que vale, sano» (cf. *Valente, Valentín*), es sinónimo de Valero.

Derivados: Valeriano, Valentín, Valentiniano, Valente.

La forma femenina es muy habitual en Italia y en España conoce un fuerte auge (ocupa el lugar 41 del *ranking* de 2008) desde hace unos años.

Variantes: Valero/Valera, muy usados como apellidos.

Personajes famosos
Marco Valerio Marcial (40-104), epigramista latino; *Valerio* (s. IV), antecesor de San Agustín en el obispado de Hipona; *Valeri Serra i Boldú* (1875-1938), folclorista catalán; *Valéry Giscard d'Estaing* (1926), político francés; *Valeria Golino* (1966), actriz y modelo italiana; *Valeria Mazza* (1976), *top-model* argentina; *Valeria Mesalina* (¿25?-48), emperatriz romana, esposa de Claudio; *Condesa Valeria*, protagonista del drama *El secreto de la condesa Valeria*, de Gregorio Xenopoulos (1867-1951); *Valerie Marneffe*, personaje de *La prima Baette*, de Honoré de Balzac (1799-1850), personaje sin escrúpulos que galantea descaradamente para propiciar el ascenso social de su marido; *San Valero* († 315), obispo de Zaragoza.

VANESA

Sexo f.
Onom. s/o, s. c. c. Verónica, el 9 de julio
Cat. *Vanessa*
Eus. *Vanessa*
Gall. *Vanesa*

Nombre creado por el poeta Jonathan Swift como hipocorístico para Esther Vanhomringh, fundiendo la primera sílaba del apellido con un hipocorístico de Esther. Algunos naturalistas lo aplicaron luego a ciertos géneros de lepidópteros, y ha ganado fama gracias a la actriz Vanessa Redgrave. A veces es identificado, por similitud fonética, con Verónica. Concurre con el árabe *Wanesa*, «compañera, íntima, que consuela», derivación de la misma raíz que Inés y Anás, de significado parecido. Es un nombre que resiste a las modas, aunque ha retrocedido respecto al siglo XX.

Personajes famosos
Vanessa Redgrave (1937), actriz inglesa.

VERÓNICO/VERÓNICA

Sexo m./f.
Onom. 9 de julio
Cat. *Veronic/Verònica*
Eus. */Beronike*
Gall. */Verónica*

La tradición atribuye este nombre a la piadosa mujer que limpió la cara de Jesucristo en la Pasión (de ahí la legendaria interpretación del griego *vera-eikon* como «auténtica imagen»). En realidad es una deformación de Berenice (v.).

Personajes famosos
Louise Veronica Ciccone, Madonna (1958), cantante de pop y sex symbol estadounidense; Verónica Forqué (1955), actriz española; Veronica Franco (1546-1591), poetisa italiana; Veronica Lake (Constance Frances Maria Ockelman) (1919-1973), actriz estadounidense; Verónica Sánchez (1977), actriz española.

VICENTE/VICENTA

Sexo m./f.
Onom. 22 de enero
Cat. *Vicenç, Vicent/Vicença, Vicenta*
Eus. *Garai, Bixintxo, Bikendi/Bingene, Bixenta*
Gall. *Vicenzo/Vicenta*

Procede del latín *vincens*, «vencedor».

Alrededor de esta palabra se han formado numerosos nombres: Vicencio, Víctor, Victores, Victorio, Victorino, Victoriano, Victoricio, Victricio, Victuro.

Es sinónimo de Almanzor, Aniceto, Esteban (v.), etc.

Personajes famosos
San Vicent Ferrer (¿1350?-1419), eclesiástico y escritor valenciano; San Vincent-de-Paul (1581-1660), sacerdote francés; Vicenç (Tete) Montoliu (1933-1997), pianista de jazz catalán; Vicenç Riera (1903-1991), novelista catalán; Vicent Andrés i Estellés (1924-1993), poeta valenciano; Vicente Blasco Ibáñez (1867-1928), escritor y político valenciano; Vicent Ventura (1924-1998), periodista y político valenciano; Vicente Aleixandre (1898-1984), poeta castellano; Vicente Aranda (1926), director de cine español; Vincent van Gogh (1853-1890), pintor y dibujante holandés; Vincente Minnelli (1906-1986), director de cine estadounidense.

VÍCTOR/VÍCTORA

Sexo m./f.
Onom. 8 de mayo
Cat. *Víctor/Víctora*
Eus. *Bittor, Bittori/Bitxori, Garaipen*
Gall. *Víctor/Victoria*

Procede del latín *víctor*, que significa «vencedor».

Este nombre es sinónimo de Almanzor, Aniceto, Berenice, Droctoveo, Esteban, Eunice, Laureano, Lauro, Nicanor, Nicasio, Niceas, Nicetas, Niké, Segene, Sicio, Siglinda, Suceso, Victricio. Variantes: Victorio, Vitores. Femenino: Victoria. Según la interpretación cristiana primitiva, significa «victoria de Jesucristo sobre el pecado», de ahí que fuese tan popular. Variantes: Victorio/Victoria; la forma femenina es muy habitual en Málaga.

Personajes famosos

Victor Hugo (1802-1885), escritor francés; *Víctor Manuel II* (1820-1878), primer rey italiano; *Víctor Manuel III* (1869-1947), rey de Italia y Albania y emperador de Etiopía; *Víctor Manuel* (1950), cantautor español; *Víctor Ullate* (1947), bailarín y coreógrafo español; *Victor Vasarely* (1908-1997), pintor húngaro; *Victoria Abril (Victoria Mérida)* (1959), actriz española; *Victoria Kent* (1898-1987), abogada y política española; *Victòria dels Àngels* (1923), soprano catalana; *Victoria I* (1819-1901), reina de Inglaterra, Gales, Escocia e Irlanda y emperatriz de la India; *Vittorio de Sica* (1901-1974), actor y director de cine italiano; *Vittorio Gassman* (1922-2000), actor y director de cine italiano; *Vittorio Messori* (1941), periodista y escritor italiano.

VIRGINIO/VIRGINIA

Sexo m./f.
Onom. 14 de agosto
Cat. *Virgini/Virgínia*
Eus. –
Gall. *Virxinio/Virxinia*

Procede del latín *virginius*, que significa «virginal». Un estado de Estados Unidos se llama así, por Isabel I de Inglaterra, denominada «la reina virgen», debido a su soltería.

Personajes famosos

Virginie Déjacet (1798-1875), actriz francesa; *Virginia Woolf (Virginia Stephen)* (1882-1941), novelista y ensayista inglesa, miembro del Grupo de Bloomsbury; *Virginia Katherine Mac Math (Ginger Rogers)* (1901-1995), actriz y bailarina estadounidense; *Giovanni Virginio Sciaparelli* (1835-1910), astrónomo italiano; *Virginia*, junto con Pablo, personaje de la novela homónima de Jacques-Henri Bernardin de Saint-Pierre (1737-1814); *Virginia*, heroína de la tragedia que lleva su nombre, del italiano Vittorio Alfieri (1749-1803), definida por el autor como «amante y romana».

YAIZA

Sexo f.
Onom. s/o
Cat. –
Eus. –
Gall. –

En realidad, es un topónimo de Lanzarote que se utiliza como nombre. Sinónimos: Haisa, Haiza, Hiaiza, Hiayza, Iaiz, Iaiza, Jayza, Yaita, Yáiza, Yáysa.

YERAY

Sexo m.
Onom. s/o
Cat. –
Eus. –
Gall. –

Se trata de un adjetivo guanche, que significa «el grande», que se utiliza como antropónimo. Frecuente en los años setenta y ochenta del siglo XX, este nombre resiste las modas.

YOLANDA

Sexo f.
Onom. 17 de diciembre
Cat. *Iolanda*
Eus. –
Gall. *Iolanda*

Variante de Violante (derivada, a su vez, de Violeta), fue popularizado por una hija del rey italiano Víctor Manuel III.

Se usa también como variante de Elena.

Personajes famosos
Yolanda Bedregal (1918-1996), escritora boliviana; *Yolanda Oreamuno* (1916-1956), escritora costarricense.

ZOÉ

Sexo f.
Onom. 2 de mayo
Cat. *Zoè*
Eus. –
Gall. –

O Zoe, o Zoa. Se trata de un nombre de origen griego (*zoe*, «vida»), con el que fue traducido a veces el de Eva (v.).

Personajes famosos
Zoë Atkins (1886-1958), actriz y dramaturga estadounidense; *Zoé Oldenburg* (1916-2002), escritora alemana; *Zoé Porphyrogenete* (982-1050), hija de Constantino VIII y emperatriz de Oriente.

Impreso en España por
LIMPERGRAF, S.L.
Mogoda, 29-31
Polígon Can Salvatella
08210 Barberà del Vallés